TOME UMA POSIÇÃO

TOME UMA POSIÇÃO

Assuma com coragem as consequências de sua fé

—

RUSSELL MOORE

Traduzido por Cecília Eller

Os textos das referências bíblicas foram extraídos da *Nova Versão Transformadora* (NVT), da Tyndale House Foundation, salvo as seguintes indicações: *Almeida Revista e Atualizada*, 2ª edição (RA), e *Nova Almeida Atualizada* (NAA), ambas da Sociedade Bíblica do Brasil, e *Nova Versão Internacional* (NVI), da Biblica Internacional.

CIP-Brasil. Catalogação na publicação
Sindicato Nacional dos Editores de Livros, RJ

M813t

Moore, Russell, 1971-
Tome uma posição : assuma com coragem as consequências de sua fé / Russell Moore ; tradução Cecília Eller. - 1. ed. - São Paulo : Mundo Cristão, 2021.
256 p.

Tradução de: The courage to stand
ISBN 978-65-5988-021-8

1. Cristianismo. 2. Vida cristã. 3. Crescimento espiritual. I. Eller, Cecília. II. Título.

21-71814 CDD: 234.8
CDU: 27-584

Camila Donis Hartmann - Bibliotecária - CRB-7/6472

Categoria: Espiritualidade
1ª edição: outubro de 2021

Edição
Daniel Faria

Revisão
Natália Custódio

Produção e diagramação
Felipe Marques

Colaboração
Ana Luiza Ferreira
Marina Timm

Capa
Jonatas Belan

Publicado no Brasil com todos os direitos reservados por:

Editora Mundo Cristão
Rua Antônio Carlos Tacconi, 69
São Paulo, SP, Brasil
CEP 04810-020
Telefone: (11) 2127-4147
www.mundocristao.com.br

Aos meus pais,
Gary e Renee Moore,

Muito obrigado.

Sumário

Introdução 9

1. Coragem e crise 17
O que você faz aqui?
2. Coragem e ansiedade 38
Confiança em meio ao medo
3. Coragem e vergonha 67
Liberte-se dos julgamentos
4. Coragem e integridade 94
Plenitude em meio à crise
5. Coragem e vulnerabilidade 128
Poder em meio à fraqueza
6. Coragem e comunidade 162
Conexão em meio à solidão
7. Coragem e justiça 191
Retidão em meio à irrelevância
8. Coragem e o futuro 220
Sentido em meio ao mistério

Conclusão 247
Agradecimentos 250
Notas 251

Introdução

Sempre que eu me perco na vida, tenho dois mapas na parede que me ajudam a encontrar o caminho de volta para casa. Isso acontece com mais frequência do que eu gostaria de admitir, mas, sempre que ocorre, os mapas estão lá. Um dos mapas é do estado de Mississippi, com um pontilhado em cima da região litorânea onde cresci. O outro é de uma terra chamada Nárnia. Esses mapas me ajudam a me lembrar quem sou, mas, o mais importante, lembram-me quem eu não sou e quase fui.

E eu quase fui um adolescente suicida.

Escrevi e apaguei essa frase pelo menos uma dúzia de vezes. Fico assustado ao expor essa realidade, pois nunca falei desse assunto, nem mesmo com amigos íntimos. Mas esse é o grande propósito deste livro: encontrar uma forma — em meio ao medo, de algum jeito, e depois de tentar de tudo — de se manter em pé.

Os mapas não passam de pedaços de papel, mas, para mim, são praticamente portais para realidades alternativas, e em uma delas estou morto. Na outra realidade, encontrei o caminho para Nárnia, por dentro de um guarda-roupa em um quarto desocupado em algum lugar da Inglaterra.

Eu sei que muitas pessoas passam a vida inteira com traumas e cicatrizes causados por sua comunidade religiosa da infância. Já ouvi essas histórias com tanta frequência que fico impressionado ao reconhecer o quanto as narrativas costumam ser semelhantes, a despeito da diferença de contexto religioso. A maioria dos céticos incrédulos que conheço em *campi* universitários ou outros lugares são polidos e sinceros. Aprendi a reconhecer, porém, sempre que encontro alguém hostil que me ridiculariza por causa de minha fé, que em quase todas as situações há muita dor por baixo dessa postura, uma dor proveniente, na maioria das vezes, de uma religião cruel ou decepcionante. Essa, contudo, não é minha história. Na verdade, a igreja na qual cresci era um alívio para mim, o lugar mais seguro que eu conseguia e até hoje consigo imaginar. Quase todos os nossos pastores eram líderes autênticos e humildes, e ainda hoje, em meus melhores dias, tenho a aspiração de ser como eles. Os homens e as mulheres da igreja também eram assim. Mesmo seus defeitos e quedas, como todos nós temos, eram um exemplo para esta criança de um mundo no qual o evangelho de fato parecia uma boa-nova. E quando cantavam "Eu me sinto feliz em cantar com os meus e pertencer à família de Deus", eu conseguia perceber que eram sinceros. E eu também era. Não quero idealizar aquela pequena congregação, mas é difícil não fazê-lo, uma vez que, quanto mais o tempo passa, mais me convenço de que Deus realmente agia naquele lugar. Encho-me de gratidão sempre que cheiro algo que evoque aquelas salas emboloradas da escola dominical, ou toda vez que chupo chiclete de canela, que uma das senhorinhas me dava logo antes do culto. Quando recito o credo "Creio na comunhão dos santos", o que me vem à mente primeiro não é uma assembleia dos antigos pais, de reformadores ou de missionários famosos, mas, sim, daquelas pessoas, caminhoneiros e atendentes e eletricistas, que me mostravam o que significava Jesus me amar.

Além disso, nosso calendário litúrgico não era cheio de cerimônias; era sediado em Nashville, não em Roma ou Canterbury. Mas o ritmo daquele calendário organizava minha vida assim como a de um monge medieval. Havia o reavivamento de outono e primavera, os acampamentos de verão para os jovens, a escola dominical toda semana, o treinamento evangelístico e os ensaios do coral. E, claro, havia a Bíblia. Às vezes, sinto que o inglês moderno é minha segunda língua e a versão King James é minha língua materna. Eu vivia, respirava e encontrava meu ser naquele livro. Tenho medalhas e premiações para provar isso! É difícil imaginar algo do tipo hoje, mas, naquele mundo, era comum haver a "Corrida da Espada", uma espécie de concurso no qual as crianças competiam para ver quem encontrava mais rápido os versículos da Bíblia ("espada" porque a Palavra de Deus é a "espada do Espírito" e "mais afiada que espada de dois gumes"). Com muita frequência, eu vencia esses embates, não por ser mais inteligente ou mais santo do que meus colegas, mas por ser fascinado pelas histórias daquele livro. Isso era verdade até mesmo para as partes da Bíblia que me pareciam incompreensíveis até eu chegar à puberdade, como Cântico dos Cânticos ou, ainda hoje, o Apocalipse de João.

Minha igreja não era um lugar traumático, mas, ainda assim, o trauma me encontrou. Por volta dos quinze anos de idade, achei-me em um mundo sombrio, em uma crise espiritual que saiu de controle e quase se tornou uma depressão paralisante. Embora minha igreja não tenha causado a crise, não consegui recorrer a ela naquele momento, pois comecei a me perguntar se Jesus não seria o problema, em vez da solução. O que causou a crise foi o mundo cristão fora de minha igreja, o cristianismo americano do Cinturão da Bíblia, algo fácil de perceber, pois aquele tipo de religiosidade cultural era o ecossistema no qual vivíamos. Boa parte dele me parecia cada vez mais falso e até mesmo predatório. Além disso, porém, comecei a temer que talvez o cristianismo fosse um meio para um fim. Mais uma vez, eu não questionava a autenticidade de meus pais e mães na fé, mas passei a ter medo de que eles pudessem ser exceções, em lugar da regra do que significa ser cristão. Embora jamais tenha duvidado da sinceridade daquelas pessoas, comecei a me perguntar se elas, juntamente comigo, estávamos sendo logrados.

Parte desse sentimento veio com a explosão, na época, de conferências proféticas e exposições sobre o fim dos tempos em quase todas as cidades e emissoras de rádio. Pessoas que raramente iam à igreja — qualquer igreja — dirigiam por quilômetros a fim de ouvir um evangelista explicar por que a fundação do estado secular de Israel significava, quase de forma garantida, que o mundo acabaria em 1988. Isso seria quando eu completasse dezesseis anos. Deveria ser uma notícia empolgante, eu sabia, mas, em vez disso, eu era um adolescente virgem esquisitão me perguntando por que, se era para ter uma vivência pessoal de um daqueles livros incompreensíveis, não poderia ser Cântico dos Cânticos, em lugar de Apocalipse.

O ano de 1988 chegou e acabou. Eu continuava firme com os gráficos proféticos e a virgindade. Mas ninguém pediu desculpas, nem explicou por que aquelas predições não se cumpriram. Da mesma forma, a União Soviética deveria ser Gogue e Magogue das profecias, dando início à batalha cataclísmica do Armagedom. Assim nos disseram. Passou-se o tempo, porém, e a bandeira do Kremlin foi retirada. Mas ninguém nos explicou por que o mundo jamais foi forçado a se ajoelhar perante Gogue. O problema, para mim, não eram apenas as falhas óbvias de precisão, em contraste com a autoridade usada para fazer as predições; a principal questão era que as evidências bíblicas para todas essas coisas pareciam secundárias, diante do interesse que despertavam. Os textos das Escrituras usados para embasar todas aquelas declarações provocadoras eram bombardeados tão rapidamente, sem nenhum contexto, que só um campeão da "Corrida da Espada" seria capaz de encontrá-los todos. Checar os fatos das alegações, então, era tarefa impossível. Mas eu era um campeão da "Corrida da Espada". E tudo parecia mostrar que o propósito daquelas coisas era algo bem diferente de uma leitura cuidadosa do que a Bíblia dizia.

Então qual seria o objetivo? Talvez fosse política ou cultura. Políticos visitavam igrejas de nossa região, embora não a nossa, e eu consegui notar que aqueles "testemunhos" quase sempre aconteciam pouco antes das eleições. Todos os políticos eram candidatos à reeleição e eram afiliados ao mesmo partido defendido pelos pregadores que os convidavam. Se Jesus foi capaz de chamar ao mesmo tempo para o discipulado um publicano *e* um zelote no primeiro século, eu me perguntava por que todos os seus seguidores, ou pelo menos aqueles que podiam contar suas histórias no púlpito, eram do mesmo grupinho. É claro que os publicanos não eram equivalentes aos funcionários da Receita Federal dos nossos dias. Em vez disso, eram colaboradores do império romano que, com frequência, fraudavam e intimidavam o próprio povo em seu serviço. Os zelotes eram aqueles que queriam, a qualquer preço, derrubar as forças romanas invasoras. Não é possível haver divisão social e cultural mais ampla do que a existente entre esses dois grupos, e era um modelo que eu não identificava na cultura à minha volta. Embora esse tipo de cristianismo partidário felizmente fosse raro em minha igreja, em todos os lugares à minha volta parecia haver praticamente uma esquizofrenia na relação entre igreja e estado.

Quando havia questões populares junto à "base eleitoral" dos frequentadores das igrejas da região — até mesmo assuntos absolutamente tangenciais como diminuição de impostos ou redução de subsídios públicos para pesquisas na área de armamentos — havia uma posição "cristã" clara e todos deveríamos nos posicionar do lado de Jesus, já que ou ele é Senhor de tudo, ou não é senhor. Mas no que se referia, por exemplo, ao tratamento dispensado aos negros — que evidentemente era importante no estado do Mississippi após o fim das leis de segregação racial — de repente se construía uma separação impenetrável entre igreja e estado que faria até Thomas Jefferson corar. Nesses casos, subitamente deveríamos entender que se tratava de "um problema do pecado, não de cor de pele", e que bastava salvar as pessoas para levar à correção desse problema. Eu não tinha muita certeza de como isso aconteceria, já que a salvação pessoal não produzia moralidade sexual de maneira automática, sem discipulado. Aparentemente, porém, isso seria solucionado. Era importante falar sobre os valores familiares e sobre tudo quanto era assunto.

Mas não sobre raça.

E não sobre temas nada populares em meio àqueles que pregavam ou decidiam se o pastor continuaria a receber seu salário para pregar. Eram assuntos considerados "distrações", a despeito de tudo que a Bíblia diz sobre o amor ao próximo e o cuidado com os vulneráveis. Para boa parte do Cinturão da Bíblia naquela época, esse tipo de distração não era permitido. Assim, sobrava bastante tempo para debater se os aparelhos de leitura de códigos de barra dos supermercados eram os precursores da marca da besta.

Os pastores que dirigiram nossa igreja, com raríssimas exceções, eram indivíduos "acima de qualquer repreensão" moral e ética, quer as pessoas gostassem deles, quer não. Mas eu enxergava todo tipo de comportamento sórdido na cultura cristianizada ao nosso redor. Sempre que alguém do "outro lado" da guerra cultural era pego em um escândalo sexual, os cristãos diziam que é para esse lado que o secularismo leva. Mas quando se descobria que um pastor havia acariciado uma criança, ele era súbita e silenciosamente "chamado por Deus" para outra igreja. O arrebatamento em um piscar de olhos não acontecia conosco, mas com vários pregadores, enviados para outros lugares à espreita de pasto novo inocente. Vi em outros lugares do mundo cristão, em meio a pessoas que achavam que nossa igreja não "pregava com intensidade suficiente contra o pecado", um adulto lavar a boca de uma criança com sabão porque ela disse "Deus me livre!" (uma expressão que, conforme se explicou, corresponde a tomar o nome do Senhor em vão). Mas ninguém lavou a boca daqueles líderes cristãos, nem dos pastores que usavam apelidos racistas e faziam piadas grosseiras envolvendo negros.

Ninguém pareceu notar quando um homem cristão, que falava o tempo inteiro sobre os "valores familiares tradicionais", surrou a filha de quatro anos com o cinto quando a viu saltitando com as amigas e concluiu que ela estava "dançando". Hoje, trinta e poucos anos depois, ainda consigo enxergar a raiva infernal nos olhos dele, enquanto catequizava a filha contra a dança, cada uma de suas palavras no ritmo das cintadas contra a pele da garotinha. E se você me colocasse para participar de uma "Corrida da Espada" fora de hora, eu seria capaz de encontrar em segundos o provérbio que aquele tipo de homem usaria para justificar sua perda da razão, caso alguém se desse ao trabalho de confrontá-lo. Minha igreja era um refúgio de vida, mas, além de suas paredes, o Cinturão da Bíblia com frequência parecia ter muito mais do cinturão do que da Bíblia em si.

Para mim, não era uma mera questão de encontrar a verdade. Tratava-se de uma ameaça existencial. Se o cristianismo fosse apenas um meio para um fim, se Jesus fosse apenas um adereço em cima da cultura sulista da honra, então significaria que o ponto de coesão do cosmo não seria o Sermão do Monte, mas, sim, a sobrevivência do mais forte. Só nos restaria um universo de dentes e garras à mostra, um universo cujo cerne não diz respeito a amor, mas a poder. Se esse fosse o caso, então, não importava a boa intenção das pessoas que me ensinaram a cantar, Jesus não me amava, a despeito do quanto a Bíblia assim me dissesse. Eu queria morrer — e hoje percebo que minha vida de escritor não começou com a escrita de contos ou ensaios, mas com bilhetes suicidas que tentavam explicar por que eu não queria magoar ninguém e no entanto não suportava mais viver.

1
Coragem e crise

....

O que você faz aqui?

Junto com o mapa do Mississippi, há outro pendurado em minha parede. E porque ele está pendurado lá, eu não me pendurei em uma corda para morrer.

O motivo para isso foi que acabei olhando, no momento certo, para a prateleira de uma livraria, na qual vi o nome "C. S. Lewis" e me perguntei por que me parecia familiar. Logo recordei que era o autor de *As crônicas de Nárnia*, livros que eu havia lido quando criança, diversas vezes. Em minha experiência, eram mais do que livros da infância. "Para mim, o mais estranho nos livros sobre Nárnia era que eles pareciam verdadeiros na maior parte do tempo", escreveu o romancista Neil Gaiman. "Eram relatos de um lugar real."[1] Sem dúvida, eu sentia o mesmo. Até uma idade maior do que eu gostaria de admitir, eu apalpava os fundos de guarda--roupas, para ver se não havia uma paisagem recoberta de neve por ali, com um fauno e um lampião aceso. Nárnia parecia um lugar real até mesmo quando o mundo ao meu redor se enchia de falsidade, quando eu, embora ainda cristão, era como aquele que, nas palavras de Walker Percy, "perdeu a fé em tudo, com exceção da fé na Queda do Homem".[2] Minha depressão adolescente significou que, por vários meses, fiquei amarrado à minha própria Mesa de Pedra, mas era pequeno demais para chamar atenção e havia ratos carcomendo as cordas que me prendiam ali. E Aslam estava em movimento.

O livro que vi na prateleira foi *Cristianismo puro e simples*. Por conhecer Lewis, dei uma chance à obra e fui surpreendido pela alegria (como consegui constatar mais tarde). O que eu amava em Nárnia é que Lewis não escrevia para mim como uma criança, mas, sim, como companheiro de jornada. Era o mesmo nesse livro. Eu não precisava de argumentos apologéticos favoráveis à existência de Deus, à divindade de Cristo e assim por diante. Eu já acreditava nisso tudo. O que me alcançou foi, mesmo sem saber descrever ao certo, eu ter percebido o fato de que ele não estava tentando me vender nada. Apenas testemunhava de algo verdadeiro, de Alguém que é a Verdade.

Em certo sentido, quando mais precisei, Lewis foi um tipo de profeta. Ele não era profeta, claro, no sentido de receber uma revelação direta da parte de Deus. E seria o último a reivindicar tal título para si. Esse era um dos meus motivos para lhe dar ouvidos. Era profeta no sentido de que me contava a verdade quando suspeitei que estavam mentindo para mim. Nisso, ele estava praticamente agindo no espírito do profeta Elias. Era como se ele estivesse surgindo do nada da sepultura, como uma estação de rádio alternativa no meio do Cinturão da Bíblia.

Assim como Elias em sua roupa de pelos, Lewis pareceria esquisito em minha cultura, com aquele terno, o cachimbo dependurado no canto da boca e uma expressão sarcástica como se estivesse prestes a dizer que quer jogar baralho e dançar, tudo isso enquanto desafia algum batista a competir com ele. Mais do que isso, porém, o que ele falava fazia sentido.

Assim como Elias e os profetas que o sucederam, chegando a João Batista, Lewis parecia convergir com eles na cena do rio Jordão pintada na parte de trás do batistério da igreja na qual cresci. Com aquela comunidade de profetas, ele apontava para longe de si e dizia: "Eis o Cordeiro de Deus".

Aos poucos, não de uma vez, a neve daquele inverno em minha psique começou a derreter e o terror demoníaco se iluminou ante a realidade de Nárnia. Lewis me mostrou o quadro mais amplo da igreja ao longo das eras, com todos os seus tropeços, pecados, amor e serviço, e me levou de volta àquilo que eu já havia aprendido com minha igreja de origem. Sim, havia fraudes e impostores, mas Jesus estava vivo e minha igreja apontava para a direção certa. Lewis me levou de volta para lá, todo o longo caminho necessário.

Minha crise espiritual adolescente dificilmente tem grande importância para o mundo. A maioria das fés que persistem são testadas e provadas ao longo do caminho. No decorrer dos anos, porém, passei a perceber que muitos atravessaram o mesmo tipo de crise e nem todos terminaram no mesmo lugar que eu. Alguns anos mais tarde, fui surpreendido com uma sensação de familiaridade ao ler sobre uma crise semelhante na adolescência enfrentada pelo autor James Baldwin. Percebi que Baldwin, assim como eu, não começou a ter a crise por questões intelectuais, como quem duvida da credulidade do sobrenatural. Isso aconteceu mais tarde. Tanto ele quanto eu sentimos medo. Ele começou a identificar pessoas, inclusive parte de si mesmo, para quem o evangelho era um mero apetrecho, uma forma de sobreviver às dificuldades do mundo, e começou a se perguntar se isso era tudo. Ele havia suposto, escreveu, "que Deus e segurança eram sinônimos", por isso, "aos catorze anos, pela primeira vez em minha vida eu senti medo — medo do mal dentro de mim e medo do mal do lado de fora".[3] Quando escreveu essas palavras, Baldwin era ateu. Se ele atacasse o cristianismo com zombaria contra o sobrenatural, eu poderia rebater seu argumento. Se ele tivesse se apresentado como alguém moralmente superior à igreja, eu seria capaz de enxergar além disso. Mas ele não parecia arrogante, orgulhoso, nem mesmo cínico. Parecia arrasado, assim como eu estivera. "Senti-me mais solitário e vulnerável do que nunca antes", escreveu. "E o sangue do Cordeiro não havia me limpado de maneira nenhuma."[4]

O que eu enfrentei, porém, não foi uma crise de fé, mas uma crise de coragem. Sentia medo. Medo de que os horrores que eu via em meio aos nascidos de novo significasse não haver novo nascimento, nem esperança, nem propósito, nem sentido e, acima de tudo isso, nenhum lar eterno no fim da vida. Eu seria um órfão cósmico, jogado em meio a um universo caótico, sem nenhum olhar divino a proteger as aves e a mim também. E o resultado final de tudo isso seria a destruição. Quando comecei a perder a fé, entrei em pânico porque me dei conta de que isso significaria perder Jesus, a mim mesmo, meu futuro, minha igreja e aquelas pessoas que jamais imaginavam que eu estava em apuros, mas que me amavam de qualquer jeito. Por isso, depois de quase cair no abismo, eu me ergui de novo e continuo de pé.

Minha crise chegou ao ponto de virada quando, ao caminhar perto de minha casa sob o céu estrelado, eu entreguei meus temores, minhas dúvidas e meu futuro a Jesus. Algo mudou naquela noite. Gostaria de poder lhe dizer que isso significou o fim de minha crise, a transição completa da covardia para a coragem. Gostaria de relembrar essa noite como se fosse o relato de Aliócha Karamázov, personagem de Fiódor

Dostoiévski, que também se prostrou em terra debaixo do céu estrelado e molhou o solo com as lágrimas. "A cada momento, ele sentia de forma clara e quase tangível algo tão firme e inamovível quanto a abóbada celestial descendo até sua alma", escreveu Dostoiévski. "Uma espécie de ideia começou a ganhar rédeas e reinar em sua mente, naquele momento e por toda sua vida, e pelas eras sem fim. Ele se prostrou em terra como um jovem frágil e se ergueu um lutador, inabalável pelo resto da vida."[5] Essa, porém, não é minha história.

Sim, eu me ergui, mas dificilmente poderia dizer que me tornei um lutador inabalável pelo resto da vida. Aliás, com frequência, ainda sou aquele jovem frágil de trinta anos atrás. Aquela crise, passado tanto tempo, me preparou para todas as crises desde então. Não fico surpreso hoje quando vejo Jesus usado como mascote para escorar alguma política identitária ou agenda de poder, ou mesmo para acobertar imoralidades particulares ou injustiças públicas. Fico ainda mais bravo quando vejo essas coisas porque sei o que acontece dentro dos adolescentes de quinze anos que, como eu, estão a observar. Mas conheço Jesus o suficiente para saber que nada disso lhe diz respeito. Contudo, isso não quer dizer que eu tenha menos medo. Com frequência me vejo, assim como antes, frustrado por não conseguir viver à altura das histórias bíblicas enraizadas em minha consciência. Quero ser o tipo de cristão disposto a se posicionar em prol de Jesus, a se posicionar sozinho se necessário for. Mais do que isso, quero ser o tipo de cristão capaz de se posicionar dessa maneira sem medo de contrariar qualquer grupo de pessoas que estiver buscando impressionar.

Aquela crise espiritual terminou e minha fé se fortaleceu, tornando-se mais resiliente do que antes. No entanto, o mesmo problema — a tendência ao medo, em especial àquilo que a Bíblia chama de temor de homens — permanece em mim e imagino que, de uma maneira ou de outra, em você também. Muitas vezes, preciso que apareça um Elias em minha vida, do nada, para me mostrar a direção certa. Por isso, como uma refeição pascal na minha psique, sempre deixo uma cadeira vazia para Elias.

Todavia, já observei que, quando estou muito assustado, Elias é a última pessoa que eu quero encontrar. Em um momento sombrio da vida, notei que, sem qualquer decisão consciente de minha parte, eu alterei a leitura diária do Antigo Testamento da Bíblia, ainda que ligeiramente. Na época eu estava lendo 1 e 2Samuel, depois 1Reis até a vida de Salomão. De repente, então, pulei de uma hora para a outra para Salmos. Observei isso e questionei o porquê. Enquanto pensava a esse respeito, convenci-me de que, de maneira subconsciente, eu estava evitando o meio de 1 e 2Reis porque eu sabia quem apareceria ali: um profeta chamado Elias. Queria evitá-lo da mesma maneira que um vizinho desempregado evita o "funcionário do mês" que mora ao lado, ou do mesmo jeito que um obeso evita contato com o cunhado maratonista. E o motivo é que a comparação só destaca as próprias inadequações, sejam elas reais ou imaginárias. Mais uma vez, eu me sentia arrasado, temeroso e covarde, não o Elias impetuoso que eu queria ser.

À primeira vista, faz sentido. Quando pensamos em Elias, lembramo-nos da determinação férrea, da ousadia de desafiar deuses e reis, sem o mínimo de preocupação com as consequências. Se você me pedisse para fazer um desenho de Elias na escola dominical, quando criança, eu faria a cena que eu imaginava resumir a vida do profeta: o momento em que, de pé no monte Carmelo, ele invocou fogo do céu. Se você não está familiarizado com a história, foi uma espécie de competição entre o profeta e os sacerdotes do deus cananeu Baal. Após pronunciar uma mensagem de juízo sobre Acabe, o rei errante de Israel, por seus esforços de misturar a adoração ao Deus de Israel com os ídolos da fertilidade, Elias convocou todos os adeptos do outro lado da religião a clamar a seus deuses, para ver quem responderia com fogo.

Naquele instante, Elias é tudo que eu quero ser. Ele ataca verbalmente os adversários, zombando com sarcasmo do deus impotente deles. Cheio de confiança, derrama água sobre seu sacrifício, clama aos céus e então, em um ímpeto de incandescência, o fogo desce. É uma cena forte; é "profético". É isso que significa se erguer e se posicionar, tendo a pensar comigo. Por isso, nesses momentos, só quero correr para celebrar aquele homem de Deus que se revestia de pelo de animal.

A realidade, no entanto, é mais difícil do que pode parecer a princípio. A tentativa de evitar Elias nas páginas da Bíblia só serve para descobrir, assim como descobriram o rei Acabe e a rainha Jezabel, que ele tem o hábito irritante de aparecer com persistência, em geral quando menos se espera. Isso é meio surpreendente, porque, pelo menos no que diz respeito ao espaço dedicado a ele, Elias não é um personagem grandioso no relato bíblico. Para falar a verdade, ele é uma espécie de efemérida, um pequeno inseto no pôr do sol das Escrituras: em um instante nós o vemos, e no momento seguinte ele já se foi, em uma labareda literal de glória. Mas a ausência de Elias é sentida em todo o restante da Bíblia, mesmo que seu manto e seu espírito tenham sido transmitidos por toda a linhagem de profetas. Aliás, as últimas palavras do cânone do Antigo Testamento dizem respeito a Elias e falam do futuro, não do passado. Deus disse, por meio do profeta Malaquias: "Vejam, eu lhes envio o profeta Elias antes da vinda do grande e terrível dia do SENHOR" (Ml 4.5). Em seguida, um silêncio de quatrocentos anos.

Quando a história bíblica é retomada no Novo Testamento, Elias está presente em toda parte, em sugestões, alusões e imagens. João Batista personificou o tema do homem rústico da natureza, com uma palavra de juízo iminente. E Jesus identificou esse batizador — seu primo — com as profecias sobre o retorno de Elias. Ao mesmo tempo, na explicação inaugural acerca de seu próprio ministério, Jesus apontou para o ministério de Elias e de seu sucessor Eliseu, demonstrando que as boas-novas do reino de Deus sempre ultrapassaram barreiras nacionais e étnicas (Lc 4.25-27). E, nos Evangelhos, muitos dos aspectos do chamado de Jesus evocam cenas da vida de Elias, desde a ressurreição do filho da viúva à provisão milagrosa de alimento e à ascensão visível ao céu.

Além disso, muitos eruditos notam um tema semelhante a Elias na vida do apóstolo Paulo, sobretudo no relato de sua história nos primeiros capítulos da carta aos gálatas. Afinal, Saulo de Tarso achava que estava agindo por "zelo" — a mesma palavra usada por Elias em sua missão para derrotar a adoração a Baal — quando tentou eliminar os grupos cristãos em Damasco. Seu zelo, assim como o de Elias, embora de maneira distinta, levou a uma crise quando, na estrada para a Síria, foi confrontado pelo Messias ressurreto. Então Paulo seguiu o mesmo caminho que Elias quando achou que sua missão de vida estava em perigo: partiu para o deserto, passando pelo lugar no qual Deus havia se encontrado com seu povo no Sinai, no deserto árabe. E ali, assim como Elias, Paulo sentiu a presença de Deus de tal maneira que se libertou da necessidade de ser aprovado pelos outros, quer pelos apóstolos tarimbados em Jerusalém (Gl 2.1-10), quer pelos muitos membros da igreja (Gl 2.11-12). Depois dessa crise, Paulo foi capaz de escrever: "Acaso estou tentando conquistar a aprovação das pessoas? Ou será que procuro a aprovação de Deus? Se meu objetivo fosse agradar as pessoas, não seria servo de Cristo" (Gl 1.10).

Ao falar sobre esse tema, o especialista em Novo Testamento N. T. Wright observou as conexões, sobretudo em Gálatas, entre o apóstolo Paulo e o profeta Elias. "O paralelo com Elias — os ecos verbais são tão próximos e as reflexões sobre 'zelo' são tão precisas que Paulo deve ter tido essa intenção — indica que, assim como o profeta, Paulo fez uma peregrinação ao monte Sinai a fim de voltar ao local em que a aliança foi confirmada", argumenta Wright. "Ele queria se apresentar perante o único Deus, explicando que fora 'extremamente zeloso', mas que seu ponto de vista, toda sua cosmovisão, se voltara contra ele. E recebera as instruções: 'Volte e anuncie o novo rei'."[6] Não é preciso concordar com todas as conclusões de Wright para ver que a identificação entre Paulo e Elias parece próxima demais para ser mera coincidência.

E tal conexão é profundamente significativa. As palavras do testemunho de Paulo são radicais até o âmago, revelando-nos, ao mesmo tempo, Cristo e crise. "Fui crucificado com Cristo", o apóstolo declara (Gl 2.20). Suas palavras têm a intenção de nos libertar — do temor, da necessidade de pertencer e nos adequar, da carência por encontrar segurança no mover da multidão. Mas essa segurança, liberdade e descanso não acontecem pela vontade e disposição, mas mediante uma crise. E essa crise acontece seguindo o caminho de Elias.

A narrativa de Elias de fato fala de coragem, mas não da forma que eu sempre presumi. Isso acontecia porque, assim como muitos de nós, eu não entendia direito nem a definição de coragem, nem o significado de Elias. Boa parte daquilo que eu admirava em Elias não é o ponto central da história. Eu aspirava ao destemor capaz de responder diretamente a Acabe que era o rei, não o profeta, o "perturbador de Israel" (1Rs 18.17-18). O mesmo tipo de ímpeto e atitude parece presente quando Elias ameaçou a terra de seca, impedindo a chuva por sua palavra, e também quando desafiou os profetas de Baal ao confronto no monte Carmelo. Ele não só os derrotou, como também os humilhou. Eles gritavam e se cortavam, tentando chamar a atenção de Baal, mas "não houve sequer um som, nem resposta ou reação alguma" (1Rs 18.29). Elias não fez nenhum desses gestos teatrais. Simplesmente clamou por fogo e o fogo desceu. Foi incontestavelmente vindicado como detentor de verdadeiro poder profético. E então derrubou os altares idólatras e matou os sacerdotes ali mesmo.

Isso me parece "profético": ousado, inabalável e visivelmente vitorioso. E tudo indica que não sou o único, já que dois dos discípulos de Jesus esperaram a mesma coisa logo depois de terem tido, com Jesus em um monte, uma visão de Elias. Ao passarem por Samaria, a região ancestral do desprezado rei Acabe de tantas gerações anteriores, Tiago e João se ofenderam porque a aldeia ali não aceitou sua mensagem. Então perguntaram: "Senhor, quer que mandemos cair fogo do céu para consumi-los?" (Lc 9.54). Devo admitir que faz sentido para mim. Mas Jesus os repreendeu e seguiu em frente (Lc 9.55-56). Além de não destruir os samaritanos com fogo, ao longo do caminho ele contou a parábola hoje muito bem conhecida que retrata o samaritano como o protagonista obediente (Lc 10.25-37). Por que Jesus reviveu tantas partes da história de Elias, mas não essa? Porque havia decidido, conta Lucas, partir "com determinação para Jerusalém" (Lc 9.51). E o que esperava por ele em Jerusalém? Elias sabia, pois, enquanto transfigurado de luz no monte, o velho profeta falou "sobre a partida de Jesus, que estava para se cumprir em Jerusalém" (Lc 9.31). O que o aguardava em Jerusalém era a cruz.

No que se refere à coragem, o monte Carmelo não é o ponto crucial da história de Elias, mas, sim, um prelúdio para algo mais. Logo depois desse momento de triunfo, Jezabel, a esposa assassina de Acabe, fez o voto de acabar com a vida de Elias até o dia seguinte. Então a Bíblia diz o seguinte acerca do profeta: "Elias teve medo e fugiu para salvar a vida" (1Rs 19.3). A partir de então, a história é só ladeira abaixo, uma vez que Elias percorre o deserto para fugir da ameaça. Bem distante do Espártaco no flanelógrafo que eu esperava desde a época da escola dominical, a imagem de Elias no deserto é praticamente patética. Ele sente medo. Está fraco a ponto de entrar em colapso. Sente-se sozinho. Exausto. Chega ao extremo de questionar seu chamado e sua missão. Parece deprimido a ponto de, na melhor das hipóteses, resmungar e, na pior, tirar a própria vida. E, mesmo ao resolver a crise, Deus fala não sobre o futuro brilhante do profeta, mas sobre aquilo que faria por intermédio de outros, tornando Elias aparentemente irrelevante.

Na maioria das vezes que ouço essa história ser ensinada ou pregada, o foco está em Elias sofrer alguma forma de "*burnout*". A aplicação é que os seres humanos devem se proteger do excesso de atividades e estresse que pode levar a essa forma de exaustão. Com frequência, junto com essa advertência se encontram recomendações práticas encontradas na provisão de Deus para Elias: alimentação adequada, sono suficiente, tempo para oração e reflexão. Isso, é claro, tem relevância imediata, uma vez que muitas pessoas se encontram exatamente nessa posição — alguém pode estar exausto por cuidar de filhos pequenos, de pais idosos, do cônjuge deficiente, ou pode se tratar de alguém que definiu toda a identidade em volta de uma carreira até chegar à meia-idade e encontrar apenas torpor e desilusão. Mas o que Elias enfrentou no deserto era muito mais do que apenas "*burnout*". Para mim, parece consistir em algo bem mais abrangente — um "colapso" mesmo. No deserto, Deus estava fazendo por Elias aquilo que o próprio profeta fizera no monte: removendo Baal, mas, dessa vez, de dentro do coração de Elias.

É por isso que ele é o modelo de que precisamos.

O caminho da coragem, conforme definido pelo evangelho, não é a virtude pagã da impassibilidade e da intrepidez, muito menos o retrato da cultura de nosso país de ganhar e exibir, ou de força e atitude. Entender direito qual é o ápice da história de Elias é importante porque, se não o fizermos, acabaremos seguindo-o para um lugar diferente daquele para o qual ele foi, em última instância, conduzido: à glória crucificada de Jesus Cristo. Sem esse pedaço da história, concluímos que Elias era a imagem de coragem de que imaginamos precisar e que fingimos ter. É um retrato de coragem celebrado por toda parte, desde as lendas da Grécia antiga até os filmes de ação modernos, passando pela confiança cavalheiresca que simulamos possuir. Caso, porém, percamos de vista o ponto crucial da história, nós a entenderemos de maneira errônea, mesmo que os fatos em mãos sejam totalmente corretos.

Imagine, por exemplo, que você coloca a ênfase da parábola do filho pródigo, contada por Jesus, no momento em que o rapaz pede a herança ao pai, sai de casa, gasta o dinheiro em festas e prostitutas e, então, quando vem a fome, acaba em um chiqueiro comendo lixo. Tudo isso é verdade, mas esse não é o ponto central da história. Se pararmos por aí, veremos a parábola como mero ensino de sabedoria acerca do que acontece com filhos ingratos ou da necessidade de autocontrole. Somente quando vemos o pai correndo até o filho que voltava para abraçá-lo e fazer uma celebração é que conseguimos entender o sentido do restante da história. O mesmo se aplica à parábola de Jesus sobre o bom samaritano. Se tudo que lermos for o relato de um homem surrado por ladrões e deixado à beira da estrada, podemos concluir que o objetivo da história é uma mensagem de advertência, do tipo: "Tome cuidado, pois isso pode acontecer com você". Nesse caso, porém, não só deixaríamos de entender o significado da história, como também chegaríamos exatamente à mesma conclusão do sacerdote e do levita que evitaram a estrada do homem espancado, passando do outro lado do caminho. Somente à luz da misericórdia do samaritano por aquele indivíduo traumatizado somos capazes de enxergar um retrato da misericórdia que Jesus recomendou.

E o mesmo se aplica aqui. Não vemos em Elias uma imagem de coragem pelo triunfo, mas, sim, de coragem pela crucificação. Elias não seria, então, um modelo ou exemplo de coragem. A vida dele foi uma encenação dramática antecipada da cruz, assim como a nossa vida é uma encenação dramática posterior da mesma cruz.

Pense em como Jesus identifica o "espírito de Elias" na vida de seu primo, João Batista. Assim como Elias, o ministério de João não foi marcado apenas por ousadia e intrepidez. Sim, João, assim como Elias, apelou a um povo rebelde que se afastasse de seus ídolos e se voltasse ao Deus vivo. Sim, João, assim como Elias, profere uma mensagem de repreensão a um governante ímpio. Sim, João, assim como Elias, transmite uma revelação impopular da parte de Deus. No caso de João, era a apresentação de um trabalhador pobre dos rincões da Galileia como "o Cordeiro de Deus, que tira o pecado do mundo". Mas João não foi um herói intocável. Mesmo depois de batizar Jesus e ouvir a voz de Deus falando do céu para pronunciar que o nazareno era seu Filho amado, João temeu estar errado. De sua cela na prisão, enviou mensageiros para perguntar a Jesus: "O senhor é aquele que haveria de vir, ou devemos esperar algum outro?" (Mt 11.3). Um líder narcisista de uma seita ou um guru político ficaria ofendido com essa incerteza, mas Jesus não. Elogiou João como o maior de todos os profetas até aquele momento. Para Jesus, a continuidade de Elias em João não ocorria, conforme era presumido, em confiança e poder, mas, sim, em fragilidade e medo. Jesus disse: "Desde os dias em que João pregava, o reino dos céus sofre violência, e pessoas violentas o atacam. Pois, antes de João vir, todos os profetas e a lei de Moisés falavam dos dias de João com grande expectativa, e, se vocês estiverem dispostos a aceitar o que eu digo, ele é Elias, aquele que os profetas disseram que viria" (Mt 11.12-14).

Posteriormente, depois de Elias aparecer em um monte com Jesus perante os discípulos, Jesus disse que seus seguidores entenderam mal o que deveriam esperar de Elias. Ficaram perplexos porque, depois de se manifestar brevemente, Elias se foi, deixando Jesus sozinho, a caminho da crucificação. Perguntaram por que os mestres das Escrituras diziam que Elias precisava voltar primeiro, antes da restauração de todas as coisas. Jesus não apontou para Elias vencendo debates, nem para cenas milagrosas, mas, sim, para sua humilhação e seu sofrimento. "De fato, Elias vem primeiro para restaurar tudo", ensinou. "Então por que as Escrituras dizem que é necessário o Filho do Homem sofrer muito e ser tratado com desprezo? Eu, porém, lhes digo: Elias já veio e eles preferiram maltratá-lo, conforme as Escrituras haviam previsto" (Mc 9.12-13).

Sim, as Escrituras apresentam João, do início ao fim, como alguém absolutamente vulnerável. Primeiro o vemos não trovejando sua mensagem enérgica às margens do rio, mas ainda embrião, saltando no útero de sua mãe na presença de seu Senhor, também no ventre materno. Quando por fim encontramos o profeta inflamado que esperamos, ele está basicamente exilado de seu lar e sua comunidade, comendo alimentos intragáveis e pregando uma mensagem mais intragável ainda. Para acabar, nós o vemos como uma cabeça em uma bandeja de prata. Nada disso se desvia do caminho de Elias. É o caminho de Elias. É por isso que, quando Jesus se identificou com Elias, foi exilado de sua comunidade, correndo o risco de uma turba irada de sua cidade natal jogá-lo do precipício da montanha que ficava em frente à sua aldeia (Lc 4.28-30).

Tudo isso porque o Elias do "fogo do céu" é explicado pelo Elias "perdido no deserto", não o contrário. Assim como a glória que temos em Jesus é explicada pelo Cristo crucificado, não o contrário. A cruz não consiste em um desvio momentâneo da glória, mas, sim, no lugar em que encontramos uma glória diferente da mundana, diferente daquilo que criamos para nós. E a coragem de Elias não é encontrada, antes de mais nada, quando ele "vence" Acabe com poder de fogo literal e figurado, mas quando parece que Acabe o está "vencendo".

Foi nesse momento de crise e colapso que ele encontrou Deus. E é nesse momento que ele e nós podemos encontrar coragem para nos posicionarmos. Até mesmo a linguagem relacionada a "posicionar-se" pode ser enganosa. Falamos sobre "posicionar-nos" em defesa daquilo em que acreditamos e, em geral, nos referimos a uma postura de confiança, assim como os *coaches* de liderança que orientam seus clientes a projetar força por meio da linguagem corporal — em alguns casos, literalmente colocando as mãos nos quadris, como um super-herói. Mas o conceito bíblico de glória não é esse. Ele acontece quando, de mãos amarradas, fora de nosso poder, somos crucificados. Ou seja, "posicionar-se" em prol de Cristo não significa eliminar todo medo de nossa vida interior, nem humilhar nossos inimigos com "vitórias" incontestáveis. Em vez disso, é experimentar na própria vida o drama da cruz. Isso significa que a coragem não provém de enfrentar o poder e a sabedoria do mundo com os mesmos artifícios, mas ser conduzido, assim como Elias, para onde não queremos ir (Jo 21.18). A coragem de se posicionar é a coragem para ser crucificado.

Esse tipo de coragem se forma na crise, e tais crises — os pontos de virada de nossa vida — às vezes ficam escondidos de nós. Não costumam ser ocasiões grandiosas, mas pequenas decisões comuns que moldam, com o tempo, quem nós somos, o que amamos, o que tememos e como nos posicionamos. Há momentos em que as coisas poderiam acontecer de mais de uma maneira, e em geral não são dramáticas, nem cinematográficas, e sim mais parecidas com o "efeito borboleta" das histórias de viagem no tempo, em que movimentos aparentemente minúsculos mudam o futuro de maneiras inimagináveis. Coragem não diz respeito somente ao paciente com câncer que enfrenta bravamente a quimioterapia, mas também à pessoa saudável que tenta parar de pensar no caroço que sentiu enquanto tomava banho. Coragem não é apenas o divorciado que tenta recolocar a vida no lugar, mas também o casal feliz que olha para os filhos e se pergunta como terá condições financeiras de mandá-los para a faculdade. Coragem não é apenas o dissidente que se recusa a negar a Cristo mesmo ao ser torturado por um ditador, mas também o cristão de um país livre que se recusa a definir sua fé pela lealdade a um político de qualquer partido que seja.

Isso significa que a principal necessidade em cada era não é do que imaginamos primeiro ao pensar em coragem — a bravura física — mas, em vez disso, daquilo que pode ser chamado de "coragem moral". Mark Twain escreveu certa vez: "É curioso perceber o quanto a coragem física é comum no mundo, ao mesmo tempo que a coragem moral é tão rara".[7] Essa frase é citada com frequência, mas poucas vezes é inserida em seu contexto. Twain estava refletindo sobre a estratégia do antigo império romano de comprar a complacência das pessoas ao trocar a liberdade delas por doações periódicas de milho e óleo. Twain identificou os mesmos fatores em operação na política de pensões governamentais para os veteranos de sua época. Não é necessário concordar com a análise de Twain nesse caso (eu mesmo não acho que concordo) para entender o quadro mais amplo. Ele acreditava firmemente nisso, mas admitiu que, mesmo tendo opiniões fortes acerca da falta de coragem moral, também havia falhado nesse ponto.

Twain foi convidado a defender seu ponto de vista acerca das pensões que considerava tão abomináveis, não perante um público de colegas escritores ou jornalistas, mas diante de uma convenção de veteranos, na qual seu ponto de vista seria, na melhor das hipóteses, impopular. Ele se recusou. "Eu poderia até tentar dizer as palavras, mas me faltaria a coragem e eu falharia", explicou. "Seria um covarde moral cambaleante tentando repreender um auditório repleto de gente da mesma laia — homens praticamente tão acanhados quanto ele, mas não mais."[8] Muitos concordariam com ele em particular, escreveu Twain, mas não o diriam em público, com medo de "falar o que é desagradável" e entrar em descompasso com seus pares. Esse era, disse ele, o tipo de temor que faz parte da natureza humana, e não via como haver mudanças nesse aspecto. Isso aconteceu há pouco mais de um século, e sem dúvida ele estava certo — se não na questão política, então com certeza no que diz respeito à natureza humana. Esse aspecto ainda não mudou.

Aliás, passaram-se dois milênios desde que Jesus, uma autoridade mais confiável do que o velho Samuel Clemens, nos explicou por que a covardia moral é algo tão universal entre os seres humanos. O apóstolo João registrou muitos sinais operados por Jesus diante da multidão, e no entanto a maioria das pessoas não creu. Citando os escritos proféticos, João disse: "Mas o povo não podia crer [...] como Isaías também disse"; e no entanto: "Ainda assim, muitos creram em Jesus, incluindo alguns dos líderes judeus. Eles, porém, não declararam sua fé abertamente, por medo de que os fariseus os expulsassem da sinagoga. Amaram a aprovação das pessoas mais que a aprovação de Deus" (Jo 12.41-43).

Essa atitude não se limita aos judeus do primeiro século. Todos, sem importar quem, onde ou quando, deparam com "fariseus" semelhantes — aqueles que ficam às portas para dizer quem pode ir para "dentro" e quem fica de "fora". Todos temem ser expulsos de algum tipo de "sinagoga". Para alguns, é um partido político, um grupo religioso ou geracional, ou ainda a mera sensação de ser "normal" no mundo, independentemente do que consideremos ser nosso "mundo" e daquilo que vejamos como "normal". Queremos, se não aplausos, no mínimo fugir da rejeição e da insegurança. Desejamos encontrar segurança no meio do rebanho, apenas escolhemos rebanhos diferentes. O problema é que boa parte daquilo que é definido como coragem nas Escrituras — refrear as paixões, demonstrar bondade, ser humilde — é visto como acanhamento, ao passo que muitos dos que se acham "corajosos" porque "falam as coisas como elas são" estão apenas buscando fazer parte de suas tribos protetoras, mesmo que estas sejam tumultuadas e cheias de ira. Podem até achar que estão se "posicionando" em defesa de algo, mas isso não é coragem de acordo com a definição de Cristo. Seguir o caminho de Jesus é posicionar-se em prol do que importa, e tais coisas não correspondem apenas ao "lado" certo em "questões" ou ao "lado" certo das "doutrinas", mas também à conformidade com Cristo em termos de afeições, a experiência viva da realidade de andar com Cristo.

É preciso coragem não para fazer coisas radicalmente importantes, mas para ter uma vida comum tranquila, com integridade e amor. Esse tipo de vida requer não só clareza em relação aos pontos de debate na sociedade, como se nossos problemas estivessem ligados a questões abstratas, mas também coragem, coragem para atravessar o deserto sem saber para onde vamos, coragem para ficar em pé e coragem para cair.

Meu mapa de Nárnia é um mapa para lugar nenhum. Sei disso. Afinal, Nárnia não passa de ficção. Será mesmo? Não consigo deixar de me lembrar de como Lúcia, a primeira a passar pelo guarda-roupa, chorou quando lhe disseram que deveria voltar para casa, longe de Nárnia e do leão Aslam.

"Como poderei viver, sem jamais encontrá-lo?", perguntou. Aslam lhe garantiu que eles se encontrariam novamente, incentivando Edmundo, irmão da menina, a lhe perguntar se Aslam também estava no mundo "normal". "Eu estou", disse Aslam. "Mas lá tenho um nome diferente. Você precisará me conhecer por esse outro nome. Foi exatamente por essa razão que vocês foram trazidos para Nárnia, a fim de que, me conhecendo aqui por um pouquinho de tempo, possam me conhecer melhor lá."[9] Em alguns aspectos, o mapa de Nárnia é, sim, fictício. Não mais, porém, que o mapa de Mississippi.

Passei a reconhecer que vivi nas duas realidades, e que Jesus está comigo em ambos os enredos. Tais experiências não me ensinam como não temer, mas, sim, como me erguer em meio ao medo, como identificar a voz acima da multidão, ou, quem sabe, um rugido, à distância, do outro lado daquilo que assusta. Por mais confiante ou ansioso que você se sinta neste momento, assim como Elias, você tem um chamado a cumprir e uma peregrinação a fazer. E pode encontrar coragem para a crise, pois pode encontrar Cristo na crise. E logo você verá que, na verdade, cada momento é uma crise.

Não é fácil, porém, quando não conseguimos enxergar o que está à frente. Jesus assustou seus primeiros seguidores com toda aquela conversa sobre prisão e execução iminentes, ou, ainda mais, com todo aquele papo sobre partir. Quando percebeu a angústia deles, lembrou-os de que a casa do Pai tem muitas moradas e que estava indo embora a fim de lhes preparar um lugar. "Vocês conhecem o caminho para onde vou", disse (Jo 14.4). Tomé, o discípulo, resolveu falar. É bem injusto acusarmos Tomé de falta de fé. O que ouço em sua voz não é dúvida, mas medo. Temeu que Jesus tivesse revelado um marco e um momento para o encontro com ele, ou quem sabe um encantamento secreto capaz de abrir um portal para o outro lado. Talvez Tomé se perguntasse se estava dormindo quando tais instruções foram dadas. "Não sabemos para onde o Senhor vai", disse. "Como podemos conhecer o caminho?" (Jo 14.5). Jesus respondeu: "Eu sou o caminho" (Jo 14.6).

Elias trilhou esse caminho, e você deve fazer o mesmo. Sua coragem não será encontrada nos momentos triunfantes do monte Carmelo, quando dispersar inimigos reais e imaginários à sua frente, e quando perceber com clareza o quanto você é protegido e aceito. Em vez disso, sua coragem será forjada, assim como a de Elias e de todos que seguiram o caminho dele, quando não conseguir ficar de pé sozinho, quando entrar em colapso no deserto, quem sabe até mesmo suplicando pela própria morte. Como Elias, você ouvirá as palavras: "O que você faz aqui?". Elias achava que estava caminhando até o monte Sinai, mas, na verdade, seguia rumo ao monte Calvário. E você também. Somente o eu crucificado é capaz de encontrar coragem para se erguer. Não tenha medo!

Não há mapa aqui. Mas você conhece o Caminho.

2
Coragem e ansiedade

....

Confiança em meio ao medo

A porta de uma igreja assombrada pelo diabo foi o lugar mais assustador por onde já passei. E, de algumas formas, continuo lá desde então. Naquele verão, eu estava com saudades de casa. Tinha dez anos e, pela primeira vez, estava passando um tempo maior longe de meus pais e da casa onde sempre havia morado. Meu irmão mais novo estava comigo, e fomos ficar algumas semanas na casa de meu tio, pastor de uma igreja na zona rural do Tennessee. Apesar da saudade de casa, todos os dias meu irmão e eu esperávamos animados para brincar de correr um atrás do outro no bosque, procurando mosquetes dos tempos da guerra civil no parque nacional próximo que, um dia, fora campo de batalha. Esperávamos ainda mais ansiosos pela hora de dormir, pois era nesse momento que meu tio nos lia histórias antes de apagar as luzes. Eu não fazia ideia de que aquelas leituras me fariam passar por uma história de terror pessoal.

Por algum motivo, os contos que meu tio escolhia ler para nós eram, em sua maioria, escritos por Edgar Allan Poe. Já me perguntei muitas vezes se Jack London, Charles Dickens ou Herman Melville não teriam sido opções melhores para crianças apreensivas, em um ambiente desconhecido, pouco antes do horário esperado de dormir. Fosse ou não uma escolha adequada de leitura, noite após noite, era Poe que ouvíamos. Até hoje, não suporto o barulho das batidas do coração ou a visão de um pêndulo em movimento. A ficção era uma coisa, mas a realidade, em si, era bem mais complicada.

Na primeira noite de sábado, meu tio terminou a hora da história abrindo as cortinas da janela e olhando para a igreja iluminada que ficava ao lado. Seu tom de voz era sussurrado e grave, assim como nos momentos em que lia aqueles contos fantasmagóricos.

"Meninos", disse ele, apontando para a igreja, "conseguem imaginar quantos demônios há na igreja neste momento?"

Por dentro, comecei a indagar que tipo de igreja meu tio pastoreava: seria uma seita satanista? Por que haveria demônios na casa de Deus? Ele disse que deveríamos nos lembrar de que vivemos em um mundo de batalha espiritual, que lutamos, como diz a Bíblia, não contra carne e sangue, mas "contra grandes poderes neste mundo de trevas e contra espíritos malignos nas esferas celestiais" (Ef 6.12). Uma vez que, na manhã seguinte, aconteceria naquele lugar algo de grande importância — a adoração a Deus e a proclamação do evangelho —, as forças demoníacas não gostariam nada daquilo e fariam qualquer coisa para atrapalhar. Disse que aqueles demônios provavelmente estavam enchendo o santuário naquele exato momento.

E então apagou as luzes.

"Conseguem imaginar, meninos?" É claro que sim; eu, sem dúvida, conseguia. O difícil era imaginar qualquer outra coisa, enquanto, com a cabeça debaixo dos lençóis, minha mente se enchia de imagens de espectros balançando pelos lustres, gargalhando como fantasmas. E a única coisa que conseguia ouvir era o som de meu coração denunciando meu pavor.

Minha sensação de tranquilidade foi recobrada quando o sol nasceu na manhã seguinte e o culto transcorreu normalmente, quase como na igreja de minha cidade. Não havia marcas de garras nos hinários, nem gosma extraterrestre escorrendo pela mesa da Ceia. As coisas estavam da maneira que deveriam estar, e tudo corria bem. Até a noite do sábado seguinte, quando, logo depois da hora da história, quem sabe o conto "O barril de Amontillado", meu tio disse que precisava que eu lhe fizesse um favor. Minha tia estava preparando uma sobremesa para um jantar da congregação e havia esquecido a travessa de bolo no salão da igreja. Fiquei imobilizado, cheio de terror. Na cultura de minha família, não era permitido dizer "não" para um adulto, muito menos para um pastor! Mas eu sabia onde ficava o salão — lá atrás do templo, depois do púlpito e do tanque batismal. Sabia também que só havia uma porta de entrada, na frente do prédio. Eu precisaria caminhar pelo santuário escuro sozinho em uma noite de sábado, a noite do diabo.

Balançando as chaves na mão, eu me coloquei diante da porta e me dei conta de que não sabia onde ficava o interruptor. Sem a vontade de tatear até encontrá-lo, permaneci parado por um instante, tentando escutar o barulho dos demônios respirando. Enquanto minha mente vagava, logo me perguntei se essa escuta era ortodoxa. Os demônios são espíritos, lembrei-me, anjos caídos, então tecnicamente não podem ter sistema respiratório, nem uma boca física. Assim, seria possível ouvi-los respirar? De que eu estava com medo? Olhando em retrospecto, percebo que não estava com medo de que aqueles demônios — caso realmente estivessem lá — cortassem minha cabeça fora ou me teletransportassem para o inferno ardente. Meu temor era que eles me expusessem como uma fraude. Eu tinha medo de que, por mais bom e responsável que eu fosse, por mais que conhecesse a Bíblia e teologia, aqueles espíritos maus poderiam ver além das aparências e dizer a meu respeito: "Eu conheço Jesus e conheço Paulo, mas quem são vocês?" (At 19.15).

Ao perceber que a especulação doutrinária não foi capaz de me acalmar, recorri ao ceticismo. Talvez não existissem demônios de verdade. Quem sabe meu tio tivesse contado aquela história assim como uma vizinha nossa havia colocado a placa "Cuidado com o cão" para espantar ladrões, mas só tinha em casa um chihuahua cego, de três pernas, que sofria de artrite. Talvez meu tio só quisesse nos impedir de entrar na propriedade da igreja e, por essa razão, criou aquele conto de terror no qual não tínhamos escolha a não ser acreditar. Mas essa linha de raciocínio era ainda mais assustadora do que os demônios. Se meu tio estivesse usando o sobrenatural para controlar nosso comportamento, seria possível que as pessoas fizessem isso com tudo — inclusive com o próprio Jesus? Então, saí correndo para proteger minha vida, entrei e saí do salão, passei por todos os bancos, até partir noite afora. Como demorei um pouco para voltar à casa pastoral, meu tio presumiu que eu tivera dificuldade em encontrar a travessa. Mas não foi esse o caso. Eu estava reunindo coragem para fingir e parecer tranquilo e indiferente, após o grande susto daquela empreitada. Queria projetar uma imagem de maturidade e força. Eu estava com medo? Sim. Mas tinha mais medo ainda de estar com medo. E, para piorar, eu tinha medo de parecer medroso.

Se eu soubesse ouvir o que meu temor estava me falando naquela época, teria aprendido algo crucial, para o resto de minha vida, acerca do significado de seguir a Jesus. Naquele momento, não foi o conceito de Elias no deserto que me veio à mente, muito embora eu me comparasse a toda a galeria de heróis da Bíblia e me perguntasse por que não poderia ser tão "forte e corajoso" quanto eles (Js 1.6). Todavia, para que a crise de Elias nos mostre algo acerca do que significa coragem, devemos começar nos perguntando por que, para começo de conversa, ele estava no deserto. Aliás, essa foi a indagação que Deus fez duas vezes: "O que você faz aqui, Elias?" (1Rs 19.9,13). Nas duas ocasiões, Elias explicou toda a situação externa: "Tenho servido com zelo ao SENHOR, o Deus dos Exércitos. Contudo, os israelitas quebraram a aliança contigo, derrubaram teus altares e mataram todos os teus profetas. Sou o único que restou, e agora também procuram me matar" (1Rs 19.10,14).

Mas Deus já havia contado a nós, os leitores, por que Elias estava lá. Quando Jezabel, a esposa estrangeira do rei de Israel, ficou sabendo como Elias havia humilhado a religião mista criada por ela e pelo rei Acabe no monte Carmelo, determinou-se a garantir sua execução até o dia seguinte. A Bíblia começa relatando, sem grande afetação: "Elias teve medo e fugiu para salvar a vida" (1Rs 19.3). É improvável que você enfrente, algum dia, uma situação na qual um poder político fará a promessa de executá-lo (embora, dependendo de onde e quando você vive no mundo, isso seja totalmente possível). Mas você enfrentará o momento, caso isso ainda não tenha acontecido, em que precisará correr para salvar a própria vida. A fim de encontrar o significado de coragem, é preciso discernir o significado de medo.

Uma das primeiras brigas que minha esposa e eu tivemos após nos casarmos dizia respeito à ajuda que ela tentava me oferecer para lidar com a insônia. Ela dizia: "Está acordado até agora? Você precisa dormir! Tem que acordar daqui a três horas...". E então listava tudo que eu deveria fazer no dia seguinte. Ela não fazia ideia de como é perder o sono. Assim que coloca a cabeça no travesseiro, começa a sonhar. E sua família inteira é assim. Muitas vezes, nas reuniões de família, eu e os outros genros e noras éramos os únicos que permanecíamos acordados, observando Maria, seus irmãos e seus pais dormindo profundamente na cadeira, com a cabeça caída para trás e a boca aberta. Com o tempo, expliquei que todo aquele incentivo bem-intencionado acabava prolongando minha falta de sono, pois acrescentava uma camada de ansiedade e tornava o ato de adormecer uma tarefa ainda mais complicada. Acontece que pouquíssimas pessoas conseguem se obrigar a pegar no sono. Por definição, o sono precisa chegar quando você não está tentando alcançá-lo, ou quando não está tentando fazer nada.

Às vezes, acho que reagimos ao medo, ou, pelo menos, ao medo nos outros, da mesma forma que minha esposa fazia com minha insônia. Os cristãos costumam observar que a ordem repetida com mais frequência em toda a Bíblia é "Não temas", e isso é verdade. Mas o simples fato de dizer isso não faz o medo evaporar, sobretudo se parecer que quem está dando esse conselho desconsidera os motivos para o temor. Sim, por vezes os medos são irracionais e infundados na realidade. Não raro, porém, sentimos medo não por deixar de ver aquilo que está bem à nossa frente, mas exatamente por enxergar.

Certa vez, senti-me atraído pela receita de leitão assado em uma revista, principalmente por causa da figura do animal em uma bandeja, com uma maçã na boca. Era uma imagem um pouco mais direta do que eu estava acostumado a ver em ilustrações de receitas. Mas então meu rosto se retorceu todo ao ler as instruções: "Aqueça o forno a 150 °C. Prepare o leitão: lave-o debaixo de água corrente, inclusive a cavidade, e seque-o por completo com um pano de prato limpo, assim como secaria uma criança pequena após o banho — orelhas, axilas, peito, rosto, pernas, parte de trás dos joelhos". Veja só, não sou vegetariano e sei muito bem que comer carne significa a morte de um bicho, mas não consegui deixar de franzir o cenho. Quem usaria a metáfora de dar banho em uma criança ao falar sobre comer um leitão assado? Disse para um amigo: "Parece a história de João e Maria, quando a bruxa prepara as crianças para ir ao forno". E é claro que a história termina com os irmãos capturados jogando a própria bruxa dentro do forno. Ao pensar nesse conto por um instante, vejo que não é Edgar Allan Poe, mas chega perto. E o pavor começa no início, quando os filhos são abandonados pelo pai e a madrasta, por causa de dificuldades econômicas. É a última coisa que diríamos para nossas crianças, em nossa era toda higienizada e protegida. Queremos resguardar nossos filhos de imaginarem o abandono parental, de se perderem na floresta e, sem dúvida, de serem capturados por uma feiticeira canibal.

Mas nem sempre o mundo foi assim. Os antigos contos de fadas e as velhas músicas de ninar costumavam ser bem parecidos com a cena de João e Maria: sangrentos, violentos e tão assustadores quanto possível. Isso era feito porque as gerações mais antigas achavam que, por meio dessas histórias, as crianças não eram introduzidas ao medo, mas, em vez disso, deparavam com narrativas que as ajudavam a lidar com o medo que já sentiam. Aliás, o autor Maurice Sendak disse que sua eficácia em escrever para crianças provinha exatamente da memória do que significava ter medo, e isso o impediu de sentimentalizar as experiências das crianças. "Lembro-me vividamente de minha infância", disse a certo entrevistador. "Eu sabia de coisas terríveis. Mas sabia que não podia deixar os adultos saberem que eu sabia. Isso os assustaria."[1] Embora as crianças talvez não consigam articular o que sentem, intuem algo extremamente verdadeiro: a própria fragilidade em um mundo caótico e potencialmente mortal. Nesse caso, as crianças compreendem algo que o restante de nós passa a vida inteira tentando negar.

Por que estar morto é diferente de virar comida? Essa foi a pergunta feita pelo estudioso da natureza David Quammen ao ponderar por que é mais perturbador um ente querido ser devorado por um urso do que morrer em um acidente de carro. Esse pensamento tão horrendo jamais cruzou a mente da maioria de nós, provavelmente porque nosso encontro com predadores se limita a observá-los em segurança atrás das jaulas de um zoológico ou piscando em uma tela. Quammen argumenta que isso acontece porque a ideia de ser comidos nos lembra de nossa vulnerabilidade da maneira mais visceral possível. A maioria dos seres humanos ao longo da história, até tempos relativamente recentes, teve a experiência de tentar escutar barulhos à noite ou procurar nas águas animais que poderiam literalmente comê-los. Ele explica: "Entre as formas mais primitivas da autoconsciência humana se encontra a consciência de ser carne".[2] Ficamos fascinados por tais criaturas, reais ou míticas, e elas aparecem com frequência em nossas histórias porque nos lembram de que os seres humanos nem sempre estão no topo da cadeia alimentar.

Quammen destaca que até a Bíblia é obcecada por animais perigosos, começando com o relato da criação em Gênesis, e se preocupa menos com a noção abstrata de "meio ambiente" do que com a relação humana com certos aspectos específicos da ordem criada — como animais predadores. O leviatã, a serpente-dragão dos profetas do Antigo Testamento, é, em suas palavras, "arquétipo dos predadores alfas". Além disso, com frequência, as figuras heroicas da Bíblia são retratadas matando animais perigosos. Pense, por exemplo, nos embates de Davi e Sansão com os leões. Essa é apenas mais uma forma de fazer a pergunta que o autor de Hebreus fez no primeiro século: por que, se os seres humanos foram criados para dominar "todos os animais que rastejam pelo chão" (Sl 8.6) e se, nas palavras do salmista, todas as coisas foram colocadas "sob a autoridade deles" (Sl 8.6), não vemos de fato nosso domínio sobre todas as coisas (Hb 2.8)? Quer se defenda a visão naturalista darwiniana da humanidade e do cosmo, quer se apegue ao relato bíblico da dignidade e singularidade humana, a cena que observamos com frequência parece a mesma: um universo bem projetado para nos matar. E, como nos lembram os grandes predadores da selva ou de nossa imaginação, somos vulneráveis. O mundo é assustador, e a carne é fraca.

Muitas vezes, ao descrever o medo, psicólogos ou biólogos falam de um mecanismo de "luta ou fuga" em ação. A ideia é que, diante de uma ameaça, as criaturas reagem por instinto ou atacando a ameaça com violência ou se retirando da cena ameaçadora. Se você assustar um bando de gaivotas, elas em geral se dispersam voando. Já se você pegar um carcaju de surpresa, pode se considerar sortudo se escapar com a cabeça ainda no lugar. Esse conceito está tão popularizado hoje que até mesmo estudantes do ensino médio citam os termos ao falar sobre "gatilhos" para os temores humanos. Tais caracterizações às vezes incomodam os cristãos, pois acham que elas negam a singularidade da raça humana. Responderiam que nós não somos animais que agem por instinto, mas, sim, seres criados à imagem de Deus, com capacidade de raciocinar e imaginar. Isso é verdade, sem dúvida, mas perde de vista uma ideia mais ampla: com frequência, o medo pode nos animalizar.

O medo cumpre, afinal, uma função neste universo caído, assim como a dor. A pessoa incapaz de sentir dor não é invulnerável. Pelo contrário, trata-se de alguém peculiarmente vulnerável, alguém que não sabe quando está à beira de ser morto ou de se matar. Da mesma maneira, a Bíblia descreve o instinto de "luta ou fuga" nos seres vivos como um dom do próprio Deus, conforme disse a Noé e sua família: "Todos os animais da terra, todas as aves do céu, todos os animais que rastejam pelo chão e todos os peixes do mar terão medo e pavor de vocês. Eu os coloquei sob o seu domínio" (Gn 9.2). Por quê? Pela mesma razão que leva os guardas florestais a orientar os visitantes a não alimentar os animais selvagens. Uma corça que perder o medo dos seres humanos porque os vê como fonte de alimento não será capaz de sobreviver na natureza. Aqueles que não estiverem em alerta por causa de possíveis predadores logo se tornarão vítimas. De igual modo, sem medo de cair, um ser humano tem grande probabilidade de cair de um telhado; sem medo do fogo, nada impede alguém de colocar a mão em cima de um fogão aceso.

Muitos de nossos temores são injustificados e irracionais. Ao olhar para trás, conseguimos perceber que a maioria das coisas que nos preocupavam jamais se tornaram realidade. E algumas de nossas fobias são extraordinariamente improváveis de nos ferir. Certa vez, conheci uma mulher cujo maior medo era de coco. Quando perguntei o motivo, ela deu de ombros e explicou que, se um coco caísse do coqueiro, poderia causar traumatismo craniano. Minha primeira reação foi sugerir a ela que não passasse as férias na praia. Contudo, até esse temor se baseia em algo real, o medo da morte, mesmo que se trate de uma manifestação um tanto bizarra da mesma. E o motivo é: quando falamos em medo, um tapinha nas costas acompanhado de "Tenho certeza de que vai ficar tudo bem" ou um alegre "Tudo vai se resolver", dito por um amigo bem-intencionado, em geral não conforta. Já vimos coisas demais no mundo para saber que, na verdade, nem tudo dá certo. Tememos não encontrar um amor. E, quando encontramos, temos medo de não saber mantê-lo. Conseguiremos sobreviver financeiramente? Teremos condições de competir com quem quer que imaginemos ser nossos competidores? Faremos nossos pais — até mesmo os pais imaginários enraizados na psique — sentirem orgulho de nós? Nos momentos em que reconhecemos do que de fato somos capazes, tememos destruir nossa vida e a vida daqueles a quem amamos. E, é claro, todos nós um dia vamos morrer. Não são apenas coisas de nossa cabeça.

O poeta David Whyte observou corretamente que a coragem verdadeira se baseia naquilo que ele chama de "vulnerabilidade robusta", que, no momento, dificilmente se parece com coragem. "Por dentro, pode parecer uma confusão. É só aos poucos que aprendemos o que de fato é importante para nós e permitimos que nossa vida exterior seja realinhada nessa atração gravitacional. Com maturidade, a vulnerabilidade robusta passa a ser entendida como a única maneira necessária de avançar, o único convite verdadeiro e o solo mais seguro e garantido a partir do qual pisar", escreve. "Por dentro, passamos a saber quem, o que e como amamos, bem como o que podemos fazer para aprofundar esse amor. Somente no exterior e em retrospectiva é que de fato parece coragem."[3]

A fuga temerosa de Elias para o deserto foi justificável e racional. Jezabel de fato tinha tanto motivos quanto recursos para matá-lo. O palácio controlava o exército, uma rede de inteligência e um sistema de polícia secreta. Elias não contava nem mesmo com uma milícia informal para defendê-lo; não tinha nem uma aldeia simpática que o acolhesse para escondê-lo. Nada disso foi um desvio dos propósitos de Deus para ele; antes, foi parte desse propósito. O Senhor tinha a intenção de que Elias, assim como tantos outros antes e depois dele, tivesse um encontro com Deus no deserto.

O medo de Elias não foi um lapso de coragem, mas o caminho rumo a ela. Aliás, sem medo, a coragem é impossível. Ao escrever sobre coragem, usando o termo mais antigo "fortitude", o filósofo Josef Pieper argumentou: "Fortitude pressupõe vulnerabilidade; sem vulnerabilidade, não há possibilidade de fortitude. Um anjo não pode ser corajoso, pois não é vulnerável. Ser corajoso significa, na verdade, ter condições de sofrer dano pessoal".[4] Em outras palavras, a coragem só pode se manifestar quando temos a possibilidade de nos ferir e sabemos disso. É por isso que o medo de Elias no deserto não foi uma mera advertência do tipo "Não seja assim!", mas uma ilustração de como Deus forma coragem em um servo que necessitaria dela em dias futuros.

Quando o medo é tanto a primeira palavra quanto a palavra final, o resultado não é coragem. É por isso que a analogia de "luta ou fuga" funciona tão bem com os seres humanos. Para a maioria das pessoas, é fácil classificar como covarde a reação de "fuga", isto é, de correr para longe do perigo, como uma lebre. No entanto, nem sempre fugir é sinônimo de covardia. Jesus se retirou das multidões quando as pessoas tentaram coroá-lo rei à força (Jo 6.15) e de sua cidade natal quanto tentaram jogá-lo de um penhasco (Lc 4.30). Com frequência, recusava-se a participar dos debates que aconteciam ao seu redor — seja para resolver uma disputa familiar por causa de herança, seja para pagar um imposto do templo que ele não acreditava dever, seja para mergulhar em certos debates teológicos com os líderes religiosos. Em outras ocasiões, ele entrava com tudo em qualquer conflito que estivesse acontecendo à sua volta.

O tipo de "fuga" covarde é aquele que não é dirigido pelo Espírito, mas, sim, pela autopreservação. Essa ânsia de proteger a si mesmo está no cerne do que significa dizer que a humanidade é caída. "A autopreservação se tornou o princípio de toda a vida porque toda a vida é consciente (desde o pecado) de ter se tornado sujeita à morte. Ela resiste à morte com todas as forças e busca preservar o eu, embora sem sucesso", escreveu certo teólogo cristão holandês. "É isso que quer dizer 'escravizado pelo medo da morte' (Hb 2.15). O medo da morte se tornou o princípio da vida".[5]

Não importa o que as pessoas presumam, não existe um chamado para que os cristãos participem de todas as discussões que acontecem em seu entorno. Há momentos, porém, em que o recuo não se baseia em sabedoria, mas no medo. Um jovem amigo afro-americano me perguntou certa vez porque não havia monumentos aos pastores brancos que se posicionaram em prol da justiça racial durante a era da segregação. Respondi que seria difícil construir tais monumentos — e não por não ter havido indivíduos assim (houve!), mas porque, em geral, não sabemos o nome deles. Os pastores que tocavam nesses temas eram sumariamente dispensados e, não raro, passavam o resto da vida trabalhando como zeladores, estivadores ou orientadores vocacionais para o ensino médio. Essa realidade levou muitos outros pastores a entender o aviso de que o mesmo poderia acontecer com eles. Então falavam com grande ênfase, pregando firmemente contra o pecado nas questões que suas igrejas aprovariam (adultério, embriaguez, desrespeito aos pais), e faziam um estranho silêncio quanto a um tema que a Bíblia levanta em toda parte: o tratamento justo dos vulneráveis e negligenciados. Muitos desses pastores sabiam o que era certo, mas se convenceram de que estavam direcionando sua influência. "Se eu for demitido, serei substituído por um segregacionista fanático", concluíam. "Será melhor para todos se eu esperar o momento certo para falar." Foi esse tipo de reação covarde que Martin Luther King Jr. questionou em sua "Carta de uma prisão em Birmingham".

A "fuga" do medo pode se manifestar de maneiras diferentes do que o recuo óbvio. Note como são poucos os comediantes que tiveram uma infância feliz. Um tema comum na maioria das biografias de tais profissionais é a dor e o *bullying*. Então, aprenderam a fazer piadas como mecanismo de defesa para atravessar um lugar de sofrimento profundo. Pode ser uma estratégia boa e redentora, criando alegria no que antes só era dor, mas também pode se transformar em um estilo de vida sufocado por proteção pessoal. Já observei que, com frequência, tenho a tendência de usar o humor sempre que alguém acaba de me elogiar ou de dizer algo significativo e importante. Pouco antes de escrever estas linhas, um amigo me olhou nos olhos e disse: "Gostaria de lhe dizer o quanto você significa para mim e minha família". Notei que desviei o assunto em segundos, com uma fala engraçada, só para aliviar a tensão daquele momento humano tão autêntico e íntimo. Isso é uma forma de covardia.

Assim também, muito daquilo que se manifesta na forma de imoralidade autossabotadora é uma expressão de fuga covarde. Quando eu estava passando por um período de sofrimento pessoal intenso, um conhecido, que havia enfrentado algo parecido, me ligou e disse: "Quero apelar para que você não tome o mesmo rumo que eu". Quando perguntei que rumo foi esse, ele explicou que, em meio ao isolamento doloroso, ele começou a acessar pornografia e acabou escravizado por esse vício. O mesmo acontece com álcool, drogas ou milhares de outras coisas. Para aquele homem, a questão não tinha tanto a ver com um excesso de excitação sexual, mas, sim, com a fuga — uma fuga para a "pequena morte" do orgasmo. Aliás, de todos os casamentos que já vi sucumbirem à infidelidade, quase nenhum dos casos teve origem em algum tipo de incompatibilidade sexual no leito conjugal. Em vez disso, a maioria surgiu do tédio e do medo da responsabilidade, em última instância, do medo da morte. O "drama" do relacionamento extraconjugal — "Será que essa pessoa gosta de mim?", "Como podemos manter tudo em segredo?" — dá uma sensação nostálgica de voltar à adolescência. É por isso que o apóstolo Paulo disse que o caminho da carne — o reinado desses apetites — é uma manifestação de covardia, de escravidão ao medo que termina na sepultura (Rm 8.12-13).

Mas a "luta" pode ser igualmente covarde, e às vezes até mais do que a "fuga". Mais uma vez, quando definida de forma correta, a luta é uma manifestação do que significa seguir a Deus. Jesus se referiu a si mesmo como um pastor, não pelo terno cuidado com o rebanho (muito embora conduzir e alimentar as ovelhas sejam partes essenciais do trabalho), mas, sim, por espantar ladrões e animais predadores, em oposição àqueles que fogem diante do primeiro sinal de perigo

(Jo 10.11-14). Certo tipo de "luta" pode dar ilusão de coragem. Apesar de toda a história de Oz, um leão parece mais "corajoso" que um coelho, não só por causa de seu tamanho e de sua força, mas também por sua primeira reação ao perigo em potencial: leões não fogem.

O apóstolo Paulo advertiu Timóteo a não ter nenhuma ligação com "discussões tolas e ignorantes" porque "só servem para gerar briga" e "o servo do Senhor não deve viver brigando" (2Tm 2.23-25). Isso porque esse tipo de "luta" não diz respeito a conquistar alguma coisa, mas, sim, a proteger quem nela se envolve — quer projetando a imagem de "lutador", quer subjugando qualquer um que se indispor contra ele. O problema é que as pessoas briguentas costumam se considerar corajosas e "defensoras da verdade", assim como Elias contra Baal ou Paulo contra os gálatas hereges. Em geral, porém, o tipo de pessoa que se envolve em discussões constantes brigaria a despeito da religião que professasse. O principal para elas não é conduzir à verdade, mas simplesmente discutir. É por esse motivo que tais controvérsias com frequência são, como bem explicou Paulo, tolas e ignorantes. Esse tipo de "luta" não leva a um rebanho mais bem guardado, mas, sim, a um menos protegido.

Se tudo é uma ameaça existencial, então nada é. O envolvimento em discussões pode parecer mais "ativo", ao passo que cuidar de nossa guerra espiritual — algo feito não em atividade frenética, mas por meios espirituais e, por isso, bem menos parecido com disparar armas do que com cultivar um fermento ou incubar sementes — parece "rendição" ou "passividade". Mas isso só reflete nossa visão distorcida de coragem e do que significa lutar.

Note a diferença entre Jesus e Simão Pedro nas narrativas do evangelho. Com base na percepção de coragem como agressividade e atuação frenética, Pedro pareceria corajoso e Jesus, fraco e tímido. Afinal, Pedro estava disposto a "lutar". Quando Jesus falou sobre sua morte iminente, Pedro questionou sua "fraqueza" e "rendição" com alarde. Pedro lutaria até a prisão e a morte (Mt 26.33-35; Mc 14.29-31; Jo 13.37-39). E fez exatamente isso. Quando Jesus foi preso, Simão Pedro sacou a espada e cortou a orelha de um dos soldados. Mas Jesus sabia o que havia por trás de todo esse fervor: medo. Ele predisse que a "luta" de Pedro se desintegraria em "fuga" antes que o galo cantasse pela manhã. Quando Pedro ouviu o som da ave, "começou a chorar" (Mc 14.72).

No entanto, muito além da ineficiência na forma de Pedro canalizar seu temor se encontra o fato de que foi contraproducente para a missão messiânica em si. Jesus chegou a chamar o jactancioso Simão de "Satanás" em certa ocasião (Mt 16.23). Isso porque a reação se assemelhou à do diabo: um frenesi alimentado pelo medo. Afinal, o diabo é aquele que desce "com grande fúria, sabendo que lhe resta pouco tempo" (Ap 12.2), como um animal acuado. Quem derrota o diabo não o faz com ultraje impetuoso, mas com algo que, em contraste, parece relativamente fraco: o sangue da cruz e a palavra dos testemunhos (Ap 12.11).

Jesus sabia qual era a batalha verdadeira, uma batalha que só poderia encontrar vitória por meio da libertação da raça humana da escravidão aos apetites e da acusação do maligno. Para isso, não seria preciso espada, nem feitiçaria, mas uma oferta em sacrifício. As multidões queriam Barrabás (Lc 23.25) — zelote e "lutador" revolucionário — porque ele parecia forte em comparação com aquele que falava em termos de "rendição", como dar a outra face em um insulto e ganhar perdendo. Nada disso é novo. Na verdade, é uma tendência que remonta ao antigo Israel, que recorreu ao poder de fogo do Egito para proteger a nação (Is 30—31), enquanto ignorava o real perigo em um templo repleto de imagens de escultura de falsas divindades. Aqueles que lutam sem combater o inimigo certo da maneira certa são equivalentes à pessoa que, a fim de dar vazão à ira, esmurra a parede enquanto sua família é assassinada no cômodo ao lado. Esse escape das emoções pode ajudar o indivíduo a se sentir melhor a respeito de si mesmo, mas não ajuda em nada a resolver o verdadeiro perigo.

No livro *The Moviegoer* [O homem que ia ao cinema], Walker Percy conta a história de Binx Bolling, corretor de ações que morava nos subúrbios de New Orleans, em meio a uma grande crise existencial. Quando se sentia deprimido, ia à biblioteca ler revistas progressistas e conservadoras controversas. "Embora eu não saiba se sou progressista ou conservador, sinto-me energizado pelo ódio que um grupo nutre pelo outro", explica Bolling. "Aliás, esse ódio me chama atenção como um dos poucos sinais de vida restante no mundo. Essa é outra questão deste planeta de cabeça para baixo: todas as pessoas amistosas e agradáveis parecem mortas para mim; só os odiosos parecem vivos."[6] Todos vivemos agora naquela biblioteca, sem precisar sair de casa. Além disso, as brigas em geral têm o mesmo propósito, e não é convencer os oponentes ou fazer a diferença no mundo, mas, sim, levar o briguento a se sentir vivo.

Na verdade, porém, ambas as reações, "luta" e "fuga", estão ligadas à mesma coisa: autoproteção. O falecido pastor Eugene Peterson observou as diferentes formas de sistemas esqueléticos dos seres vivos: "Nas primeiras etapas do desenvolvimento, as criaturas com exoesqueleto (ou seja, o esqueleto do lado de fora, como caranguejos e besouros) têm todas as vantagens, pois são protegidas dos desastres", escreveu. Mas não é o caso nas várias fases que vêm em seguida desde então, pois, em tais criaturas, "não há desenvolvimento porque não há memória". Em contrapartida, "seres com endoesqueleto (ou seja, esqueleto do lado de dentro, como gatos e seres humanos) têm mais desvantagens a princípio, pois são extremamente vulneráveis a perigos externos. Mas, se sobreviverem mediante os ternos cuidados e a proteção de outros, podem desenvolver formas mais elevadas de consciência".[7]

Para Peterson, essa mentalidade de "exoesqueleto" se evidenciou, por exemplo, na história do jovem rico, que indagou a Jesus qual era o caminho para a vida eterna. "Seus bens materiais e suas conquistas morais eram todos externos, como uma casca, e o separavam tanto do próximo quanto de Deus." A maioria de nós é assim. Queremos construir um campo de força ao nosso redor — alguns com argumentações barulhentas e enfáticas, outros se encolhendo em invisibilidade e recuo. De todo modo, agimos por instinto, para nos proteger, em vez de trilhar o caminho capaz de nos transformar. E essa mudança requer riscos, o tipo de risco que enfrentamos não com os recursos de um caranguejo ou de um besouro, mas, sim, com o potencial de um bebê.

E é exatamente para esse ponto que o medo tende a nos levar: para a experiência da primeira infância. Não são imagens que nos evocam coragem ou bravura. Nenhum time chamaria seu mascote de "Bebê chorão". Aliás, as crianças zombam umas das outras quando estão assustadas, dizendo: "Não seja um bebezão!". E é fácil entender por quê. O bebê humano é um exemplo clássico de endoesqueleto — com uma "moleira" no alto da cabeça e um pescoço incapaz de permanecer firme.

Para um bebê, quase tudo parece assustador. O barulho de um prato caindo da mesa pode muito bem ser uma sirene nuclear. Cada segundo que a mãe sai para outro cômodo pode parecer um abandono à la João e Maria. E tudo que o bebê consegue fazer para reagir a esses medos é chorar. É exatamente essa a questão: o medo tem a intenção de nos conduzir ao mesmo desespero e à mesma sensação de desamparo.

Enquanto escrevo este livro, o mundo mergulhou em uma pandemia, e para cuidar da saúde pública foi necessário que as igrejas deixassem de se congregar, até no domingo de Páscoa. Foi a primeira Páscoa de minha vida que passei sem ir à igreja. Aliás, todas as igrejas que eu conhecia estavam vazias. E, uma vez que ninguém conhecia a intensidade da disseminação da doença, havia algo debaixo da superfície na mente de cada cristão nessa data, a mais sagrada do calendário cristão. E esse algo era o medo.

À primeira vista, o medo não parece combinar com a Páscoa, apenas com a Sexta-feira Santa. Até mesmo nossos hinários parecem refletir isso. "Estavas lá ao pregarem meu Jesus?" tem melodia e letra sombrias, ao passo que "Cristo já ressuscitou" é tão triunfante na letra e na melodia que, com palavras diferentes, poderia muito bem ser um hino nacional ou *jingle* em uma campanha publicitária. Em certo sentido, é assim mesmo que deve ser. A Sexta-feira Santa tem o propósito de evocar as emoções que os primeiros discípulos sentiram ao achar que tudo estava perdido, quando o céu claro acima deles escureceu. A Páscoa visa evocar um novo amanhecer, a verdade de que toda a tristeza se desfaz.

E, no entanto, os relatos nos evangelhos não são categorizados assim, por meio da separação clara dos sentimentos. As primeiras reações à ressurreição foram confusão e medo.

Os guardas junto à sepultura "tremeram de medo e caíram desmaiados, como mortos", Mateus relata, ao verem o anjo ali (Mt 28.4). Parece adequado, levando em conta que foram contratados para manter o túmulo em segurança "como acharem melhor" (Mt 27.65) e falharam. Mas não estavam sozinhos. A primeira mensagem do anjo às mulheres fiéis, Maria Madalena e a outra Maria, foi: "Não tenham medo [...]. Sei que vocês procuram Jesus, que foi crucificado. Ele não está aqui! Ressuscitou, como tinha dito que aconteceria" (Mt 28.5-6).

A Bíblia conta que aquelas mulheres deixaram o local do anúncio "assustadas mas cheias de alegria" (Mt 28.8), quando depararam diretamente com Jesus ressurreto. E as primeiras palavras do Mestre a elas foram: "Não tenham medo!" (Mt 28.10). Aliás, os documentos mais antigos do Evangelho de Marcos terminam com as mulheres partindo do túmulo vazio a fim de contar a novidade aos outros discípulos, com estas palavras: "Trêmulas e desnorteadas, as mulheres fugiram do túmulo e não disseram coisa alguma a ninguém, pois estavam assustadas demais" (Mc 16.8).

Talvez se pudesse imaginar uma ressurreição menos traumática, mais condizente com o ritmo natural de um inverno que, aos poucos, abre caminho para uma primavera suave. Em vez disso, a ressurreição foi algo que, antes de mais nada, evocou medo e alarme. Por quê?

Porque a ressurreição não é uma verdade atemporal sobre a imortalidade do ser humano, ou de que "tudo dá certo no fim das contas". A ressurreição acontece em uma sepultura, um lembrete de que, deixados por conta própria, cada um de nós volta ao pó, de onde viemos. É por isso que Jesus declarou para Marta: "Eu sou a ressurreição e a vida" (Jo 11.25). Ele é o único que tem "vida em si mesmo" (Jo 5.26).

A ressurreição de Jesus de fato destrói o medo, arrancando-nos da escravidão do medo da morte (Hb 2.14-15). Mas essa liberdade não acontece da maneira que costumamos buscar, por conta própria, por meio da negação e da ilusão de imortalidade. A fim de ver a glória e o mistério da ressurreição de Jesus, também precisamos sentir a justa sentença de nossa morte e a inevitabilidade de nossa destruição, se separados dessa realidade. A ressurreição significa que nossa vida é escondida em Cristo, ou seja, sozinhos somos como zumbis, mortos que andam. A ressurreição de Jesus significa que o seguimos por onde ele foi e para onde ele está. Para nós, isso quer dizer que a Páscoa não é o fim de carregar a cruz, mas o começo.

É algo assustador, se você parar para pensar. E Jesus quer que você pare e pense. Só então será capaz de ouvir o Pastor que anda a seu lado pelo vale da sombra da morte. Só então poderá saber o que significa entender que, porque ele vive, todo medo se dissipa.

O apóstolo Paulo escreveu que o caminho da carne conduz à escravidão do medo (Rm 8.12-15). Com base nas descrições do apóstolo, porém, fica claro que quem está envolvido nesse tipo de escravidão provavelmente não se considera escravizado, nem medroso. Reage ao medo com os próprios recursos de proteção — a busca pela satisfação dos apetites (Rm 8.12), a mitigação dos poderes elementares deste mundo (Gl 4.3,8-10), o cumprimento de listas de regras e regulamentos (Cl 2.20-23), os ataques mútuos em controvérsias e disputas sem fim (Gl 5.15-25). Em contrapartida, aqueles que andam pelo Espírito sentem medo e provavelmente parecem ser os sem coragem, pois abriram mão dos próprios recursos internos ou de seguranças externas; eles clamam em desespero: "Aba, Pai" (Rm 8.12-17).

A coragem começa, na verdade, com um clamor por ajuda. É por isso que Elias foi conduzido ao deserto, e é por isso que você também será.

Ao sair em direção a lugares secos e escuros, Elias se retirou para um caminho já muito trilhado por seus antepassados ao deixarem o Egito e que será percorrido novamente. Quando os israelitas entraram na terra prometida, ficaram aterrorizados com a ferocidade dos cananeus. Deus disse: "Não entrem em pânico nem tenham medo deles!" (Dt 1.29). Esse encorajamento não veio acompanhado daquilo de que a maioria de nós gostaria. Deus não se aproveita do fato de que Israel é mais poderoso do que essas ameaças, ou forte o bastante para derrubá-los. Tampouco essa palavra da parte de Deus inclui a rememoração dos dias de glória de Israel ou um lembrete de como haviam vencido problemas maiores no passado e o fariam novamente dessa vez. Em vez disso, quando enfrentavam cidades fortificadas, Deus disse que eram nômades errantes. Enquanto defrontavam gigantes, Deus os lembrou de quando eram como filhos dependentes. "O Senhor, seu Deus, irá adiante de vocês. Ele lutará em seu favor, conforme tudo que vocês o viram fazer no Egito. Também viram como o Senhor, seu Deus, cuidou de vocês ao longo do caminho, enquanto viajavam pelo deserto, como um pai cuida de seu filho. Agora ele os trouxe a este lugar" (Dt 1.30-31).

Os temores de Elias o levaram ao ponto de ser cuidado por Deus, praticamente como uma criança — dando comida, um lugar para dormir e uma resposta a suas lamúrias. É a essa direção que o medo conduz quando nos afasta da autossuficiência e nos conduz ao evangelho que nos sustém. Nesses casos, o medo não é uma mera reação, mas, sim, uma revelação.

Todo ano, na época do Natal, alguém inevitavelmente cantarola parte da música "It's the Most Wonderful Time of the Year" [É a época mais maravilhosa do ano]. A letra diz: "Haverá festas, *marshmallows* na fogueira e corais cantando na neve. Haverá histórias assustadoras de fantasmas e contos das glórias dos Natais passados, muito tempo atrás". A pergunta óbvia é: por que razão alguém contaria histórias assustadoras de fantasmas no Natal? Certa vez, instigado pela música, senti-me tentado a tirar um livro de Edgar Allan Poe da prateleira a fim de ler para meus filhos, mas, nas palavras de minha consciência: "*Never*, Moore!". Medo e Natal não parecem combinar. Mas, na verdade, combinam sim.

Nas narrativas da encarnação, o medo está por toda parte, mas o medo leva a duas direções absolutamente diferentes. Herodes, o rei de Israel, teve medo quando ouviu sobre o nascimento do Filho prometido de Davi, pois ele (corretamente, no longo prazo), enxergou nisso a ruína de sua própria dinastia. Ele se sentiu "perturbado, e com ele todo o povo de Jerusalém" (Mt 2.3). Esse medo despertou uma reação de "luta", do tipo Acabe e Jezabel, a saber, o voto de matar todos os bebês do sexo masculino, para garantir que aquele "perturbador de Israel" jamais atingisse a maioridade. Pode ter parecido uma atitude de força e vitória para aqueles que identificam agressividade com eficácia. Mas foi o ato de uma criatura assustada, surtando diante de uma ameaça em potencial.

Os pastores, em contrapartida, também enfrentavam medo. Enquanto vigiavam os rebanhos à noite, viram-se subitamente envoltos por multidões das hostes celestiais e cercados pela glória do Senhor, o que os deixou "aterrorizados" (Lc 2.9). Caso não tivessem sentido medo, confiantes na vara e no cajado para lutar contra aqueles anjos, caso tivessem sido hostis, os pastores não seriam corajosos, mas, no máximo, enganados acerca de si mesmo e, na pior das hipóteses, insanos. Após sentir o temor, eles ouviram a mensagem de Deus para dissipar esse sentimento: "Não tenham medo! Trago boas notícias, que darão grande alegria a todo o povo" (Lc 2.10). E tudo isso leva a uma resposta: "Quando os anjos voltaram para o céu, os pastores disseram uns aos outros: 'Vamos a Belém para ver esse acontecimento que o Senhor nos anunciou'" (Lc 2.15). O padrão é o medo, que leva a uma palavra de consolo e esta, por sua vez, à revelação. E muito embora as revelações difiram em alguns aspectos, todas conduzem à mesma conclusão: a glória de Cristo, com frequência em lugares inesperados.

Esse é um padrão das Escrituras. Isaías, assim como os pastores, viu a glória de Deus e clamou atemorizado: "Estou perdido!", antes que o Senhor dissipasse esse temor com uma mensagem de missão (Is 6.5). Assim como os pastores muito depois dele, o medo de Isaías foi ocasionado por uma visão de glória. E essa glória não é algo abstrato, mas uma pessoa com nome, rosto e tipo sanguíneo. João citou esse relato e escreveu: "As palavras de Isaías referiam-se a Jesus, pois viu sua glória e falou sobre ele" (Jo 12.41). Mas a história não termina aqui. "Ainda assim, muitos creram em Jesus, incluindo alguns dos líderes judeus. Eles, porém, não declararam sua fé abertamente, por medo de que os fariseus os expulsassem da sinagoga" (Jo 12.42). O que fez a diferença não foi a presença do medo, mas, sim, o tipo de glória que os motivou: "Amaram a aprovação das pessoas mais que a aprovação de Deus" (Jo 12.43).

No fim das contas, é assim que a glória nos deixa: ou assustados e correndo rumo à glória de Deus, ou assustados e escondidos por baixo da glória de nós mesmos ou da opinião de outras pessoas a nosso respeito. Os pastores de Belém ficaram tomados de grande temor, e dá para imaginar por quê. "Não tenham medo" não precisava ser dito por adoráveis bebês alados, mas por anjos que são, na verdade, descritos como exércitos de guerreiros temíveis. Quando contassem as histórias sobre aquela noite nos anos seguintes, pareceria, bem, uma história assustadora de fantasmas, que começava em terror e terminava com a cena chocante e maravilhosa do céu cheio de glória. É absolutamente consistente com a maneira como Deus aborda todos nós. João nos disse: "A luz brilha na escuridão, e a escuridão nunca conseguiu apagá-la" (Jo 1.5). Até mesmo ao vir a este mundo, Jesus não se desviou da escuridão e do terror de um mundo ocupado pelo pecado, pela morte e pelas forças demoníacas. Ele andou bem na direção desse terror e, com sua própria vida e seu próprio sangue, virou tudo de cabeça para baixo. A única coragem capaz de tomar posição precisa se basear nessa realidade, não em algum tipo de falta de temor natural.

Se coragem fosse ausência de medo, então Jesus teria elogiado Simão Pedro quando pisou nas águas revoltas do mar da Galileia e andou rumo ao Cristo. Mas Jesus permitiu que ele afundasse momentaneamente e que o pescador submerso gritasse aterrorizado. Jesus disse: "Não tenham medo", não por sugerir que Pedro fosse incapaz de se afogar, mas, sim, porque "Sou eu!". Pedro precisou caminhar em meio ao medo até o outro lado, onde Jesus estava. Foi assim com Elias também, e será o caso com você. Sem dúvida, Elias se considerava corajoso, sobretudo em comparação com as pessoas ao seu redor, e com razão. Quem mais havia enfrentado Acabe? Quem mais pôs para correr todo um batalhão de adoradores de Baal? Todavia, a fim de encontrar a coragem sustentável de que necessitava, Elias precisou ser levado além dos limites de sua autossuficiência. Precisou sentir medo a fim de encontrar a coragem onde ela realmente estava: em um Deus que ama seus filhos e permanece ao lado deles. A distinção não é entre pessoas medrosas e destemidas. A distinção está naquilo que é temido. Jesus disse: "Não tenham medo dos que querem matar o corpo; eles não podem tocar na alma. Temam somente a Deus, que pode destruir no inferno tanto a alma como o corpo" (Mt 10.28). A diferença é para onde o medo conduz: para a autoproteção ou para a fé. Somente a última opção pode verdadeiramente ser denominada coragem.

A compreensão da história de Elias pelas lentes sociais darwinianas (a opinião majoritária em nossa era) sem dúvida levaria à conclusão de que Elias foi covarde, ao passo que Acabe e Jezabel eram corajosos. Foi o profeta quem sentiu medo e fugiu, enquanto os outros dois partiram para a ação decisiva. Ordenaram manobras militares enquanto Elias suplicava pela morte. Mas Acabe e Jezabel eram covardes. Só havia Baal em Israel por causa do medo. Acabe e Jezabel vinham de duas nações opostas não por uma história de amor improvável do tipo Romeu e Julieta, mas como um ato político pragmático. O casamento certamente fazia parte de uma aliança geopolítica cujo objetivo era conter hostilidades entre um e outro reino, bem como provenientes de nações potencialmente hostis. Além disso, o povo se envolvia nessa idolatria por temer a família real. Não queriam que acontecesse com eles o que ocorrera com Elias, isto é, exílio e provável morte. E, é claro, havia (sempre há) os profetas da corte, aqueles que diziam ao rei exatamente o que ele queria ouvir, com medo de perder acesso, influência ou até mesmo a cabeça. Isso é covardia.

Elias estava com medo. Ele foi levado ao extremo desse medo no deserto e foi assim que encontrou coragem. Com certeza, ele achava que o tempo no deserto era o fim da linha. Em dias melhores, é provável que visse o local como um retiro, uma pausa de sua missão principal. Mas foi no deserto que Elias recebeu o preparo para uma cruz silenciosa, o único lugar de segurança a ser encontrado. Esse era o sentido do deserto para Elias — e para você também.

Em sua jornada rumo ao desconhecido, o *hobbit* Frodo se perguntava como conseguiria reunir coragem para continuar andando, coragem que os outros pareciam presumir que ele tinha, mas que ele temia não possuir. "Onde encontrar coragem?", perguntou. "Essa é minha maior necessidade." O elfo Gildor respondeu: "A coragem é encontrada em lugares improváveis".[8] De fato. Sua coragem não surge quando você permanece de pé em triunfo no monte Carmelo, mas quando está em colapso no deserto, ouvindo as palavras: "O que você faz aqui, Elias?". O caminho de Elias é o seu também. Ele achava que estava andando rumo ao monte Sinai, mas, na verdade, se aproximava do monte Calvário. O mesmo acontece com você. Somente o eu crucificado é capaz de reunir coragem para se erguer. É para lá que você está se dirigindo, não importa o quanto se sinta assustado e perdido. O caminho para a coragem não é sem medo, mas através do medo, rumo a Cristo.

Ao relembrar minha caminhada pela igreja assombrada na infância, sinto-me mais convicto do que nunca de que meu tio estava certo, embora, talvez, não especificamente da maneira que ele intencionou dizer. Havia demônios naquela igreja, e de fato eles me perseguiam. Isso acontece porque todo o cosmo caído "está sob o controle do maligno" (1Jo 5.19). Com frequência, os lugares de santidade estão repletos de mais perigos e os lugares de mais perigo costumam ser aqueles nos quais sentimos com maior clareza a santa presença de Deus. O tema central deste universo é exatamente o que Flannery O'Connor identificou como o tema de sua ficção, a saber, "a ação da graça em território preponderantemente dominado pelo diabo".[9] Mas fomos preparados para tudo isso com antecedência.

Em nenhum momento Elias recebeu a garantia de que Acabe e Jezabel eram ameaças ilusórias, que não poderiam lhe causar mal. Eles podiam. Em nenhum momento Elias recebeu a certeza de que atravessaria o deserto em segurança e de que era forte o bastante para a tarefa. A verdade era o oposto. O anjo disse ao profeta: "Levante-se e coma um pouco mais, do contrário não aguentará a viagem que tem pela frente" (1Rs 19.7). E a ameaça para nós é ainda maior do que uma família real de mortais de carne e osso. Jesus disse a Pedro: "Simão, Simão, Satanás pediu para peneirar cada um de vocês como trigo" (Lc 22.31). Simão Pedro precisava entender, depois de sacar a espada, praguejar junto à fogueira e fugir madrugada adentro, que a resposta para ele não era não ter nada a temer, mas, sim, que o medo é respondido por aquele que está de pé junto ao Pai em seu lugar, para que sua fé não vacilasse. Somente depois de tudo isso, do outro lado do perigo do diabo, do outro lado de seu próprio terror, Pedro teria condições de fortalecer "seus irmãos" (Lc 22.32).

Elias era corajoso porque aprendeu a sentir medo do jeito certo. E você precisa fazer o mesmo. Você, assim como ele, andará pelo vale da sombra da morte, e a única maneira de aprender a não temer é concluir que alguém está andando a seu lado, pastoreando-o (Sl 23), mesmo que você não o veja. Nós não andamos ao redor do vale, mas através dele. É assim que aprendemos a confiar no Pastor. É assim que aprendemos a ser corajosos. Os demônios estão lá no escuro, é verdade, mas não são os únicos a acompanhá-lo.

A bondade e a misericórdia também estão lá.

3
Coragem e vergonha

....

Liberte-se dos julgamentos

"A vida é curta. Tenha um caso." Esse *slogan* publicitário ganhou notoriedade não por causa do sucesso do negócio que ele divulgava, mas, sim, por seu colapso. A propaganda era de um serviço virtual de relacionamentos, que oferecia assinaturas para as pessoas encontrarem parceiros sexuais extraconjugais. O principal produto oferecido por essa empresa não era a tecnologia para fazer o caso acontecer, mas, sim, a garantia de que seria possível guardar tudo em segredo. O logotipo mostrava uma mulher fazendo sinal de silêncio com o dedo em cima dos lábios. No entanto, os lábios não ficaram fechados quando um vazamento de dados revelou o nome e o registro dos assinantes, para a surpresa (e o horror) de vários maridos e mulheres, funcionários, vizinhos e amigos. Foi revelado mais de um pastor que fez uso do serviço. Pelo menos um indivíduo ficou tão arrasado por ser pego nesse escândalo que se suicidou. Aquilo que supostamente seria revestido de sigilo acabou exposto em vergonha.

Apesar de todo o alarde que essa situação despertou na época, um sistema de busca de compatibilidade para adultério, por mais bem divulgado que seja, por natureza atrairá somente um número minúsculo de pessoas, em comparação com a população como um todo. Mas é útil pensar em como esse modelo de negócio funcionava. O serviço se destinava a indivíduos que queriam cometer adultério, sem precisar parecer adúlteros. O fascínio estava na possibilidade de encontrar certo grau de anonimidade, mais garantido do que tentar flertar com uma pessoa em um bar, onde, em tese, alguém poderia ouvir. Ao organizar tudo isso por meio de um terceiro, era possível ter certeza de que o parceiro na relação adúltera nem soubesse o nome verdadeiro da outra pessoa, caso fosse essa a vontade do usuário. Então seria possível continuar a levar a vida sem ninguém saber que os votos conjugais foram quebrados, garantindo, ao mesmo tempo, não morrer sem experimentar a empolgação proibida de trair o cônjuge. Afinal, a vida é curta.

Esse serviço não tinha um senso agudo de ética e moralidade, mas conhecia a natureza humana. Em certo sentido, o impulso por trás desse serviço é verdadeiro para todos nós, até mesmo para aqueles que jamais pensariam em quebrar as promessas feitas ao cônjuge ou à própria família. Os serviços de entretenimento, por exemplo, descobriram que não podem depender do que as pessoas dizem acerca do tipo de filmes e programas a que gostam de assistir, pois respondem que preferem filmes artísticos e eruditos, que é o tipo de filme a que aspiram assistir, em lugar de citar as comédias escrachadas e os romances "água com açúcar" que de fato escolhem ver. Uma lista feita pelo consumidor revela apenas o tipo de pessoa que o telespectador deseja ser, ao passo que o algoritmo mostra quem ela realmente é.

Da mesma maneira, quando as pessoas fazem buscas *on-line*, são bem menos propensas a fazer rodeios ou fingir. Em vez disso, tiram as dúvidas que realmente têm. Como não há plateia, a pessoa se sente livre para perguntar: "Que tipo de dor de cabeça é sintoma de tumor no cérebro?" sem parecer hipocondríaco, ou "Como acabar com o mofo preto do banheiro?" sem parecer desleixado com a limpeza, ou "É normal meu adolescente ter um laboratório de metanfetamina no quarto?" sem ser julgado como um pai ruim.

Um estudo revelou que, em *posts* públicos, as mulheres tendem a dizer que o esposo é "maravilhoso", ao passo que, em pesquisas anônimas, suas perguntas mais frequentes questionam por que ele perdeu interesse em fazer sexo ou é tão rude. Essa mesma pesquisa explicou que é por isso que a mineração de dados é um método mais confiável do que entrevistas e pesquisas de opinião.[1] As pessoas nem sempre falam a verdade para os entrevistadores, ou nem mesmo para si próprias, mas quando pensam que ninguém está vendo ou rastreando, a verdade vem à tona. Quando a lacuna entre quem fingimos ser e quem realmente somos é exposta, o resultado é a vergonha.

Para a maioria de nós, a vergonha não é ter o nome em uma lista de adúlteros, descoberta em uma falha tecnológica, mas, de uma maneira ou de outra, todos nós entendemos um pouco como é se perguntar se de fato somos o que os outros acham que somos ou quem fingimos ser. Quase todos já tivemos o sonho de estar andando pela escola, olhar para baixo e descobrir, horrorizados, que estamos nus, pois nos esquecemos de colocar roupa de manhã. Outro sonho comum é que chegou o dia da prova final e você se esqueceu de estudar ou mesmo de ir à aula. Minha esposa sonha com frequência que cometeu um crime sem querer e agora está sendo levada pela polícia para a cadeia. O tema em sonhos desse tipo é a exposição, isto é, ser descoberto pelos outros.

Essa sensação não se limita ao estado subconsciente dos sonhos; muitos se sentem incomodados por ela na vida real.

A expressão "síndrome do impostor" foi cunhada para descrever essa sensação que o indivíduo tem de não passar de uma fraude, de que todas as suas realizações são fruto da sorte e do acaso, e que se as pessoas pudessem enxergar o que se passa em sua mente, veriam que ele não é qualificado para fazer o que está fazendo. Isso não se limita à qualificação profissional. A maioria dos pais se compara internamente aos próprios pais — que pareciam tão confiantes e certos do que fazer — enquanto eles, em contrapartida, questionam cada decisão que tomam ao educar os filhos. Certa mulher me contou que, depois de dar à luz e ser conduzida para fora do hospital com o bebê nos braços, perguntou-se se tinha fundamentos legais para processar o hospital, já que mandaram um recém-nascido vivo para casa com alguém tão incompetente quanto ela se imaginava ser.

E isso se manifesta também no âmbito espiritual. A maioria dos cristãos, em algum momento ou em outro, teme ser hipócrita, assim como os líderes religiosos que Jesus condenava. Afinal, se as pessoas enxergassem dentro de nosso coração e vissem o tipo de pensamentos que temos, as distrações que nos sobrevêm quando tentamos orar, perceberiam que dificilmente estamos à altura da imagem que projetamos. Sabemos que os outros sentem dúvidas, mas imaginamos que não são tão paralisantes quanto as nossas. Sabemos que todo mundo peca, mas presumimos que os pecados dos outros não são tão grotescos quanto os nossos. O nome disso é vergonha, e o caminho rumo à coragem passa no meio dela.

O motivo que levou Elias a fugir para o deserto foi o medo, uma sensação de ameaça externa, e isso é imediata e facilmente compreensível. Trancamos a porta de casa por um motivo. Instalamos alarme de incêndio com um propósito.

Todavia, depois de estar sozinho no deserto, o lamento do profeta não se restringe a circunstâncias externas — sua cabeça a prêmio. Em vez disso, toda essa situação levou Elias a pensar não só em sua circunstância, mas em si próprio. Sentado debaixo de um pé de giesta, ele orou pedindo a morte: "Já basta, SENHOR [...]. Tira minha vida, pois não sou melhor que meus antepassados que já morreram" (1Rs 19.4). Nesse momento, Elias pronunciou que sua vida era um fracasso e, em um sentido bem real, concordou com Acabe em um ponto-chave. Afinal de contas, o rei respondeu ao profeta não só com ameaças, mas o envergonhando também. Segundo o monarca, Elias era o "perturbador de Israel", que atrapalhava a unidade do povo de Deus (1Rs 18.17). "Não causei problema algum a Israel", o profeta respondeu. "O senhor e sua família é que são os perturbadores, pois se recusaram a obedecer aos mandamentos do SENHOR e, em vez disso, adoraram imagens de Baal" (1Rs 18.18).

A pergunta em questão foi uma prévia do dia do juízo: quem está certo e quem está errado. Além disso, Elias estava anunciando o justo juízo de Deus sobre a família de Acabe, evidenciado na falta de chuva sobre a terra por sua palavra. Todavia, quando chegamos à crise do deserto, fica claro que esse juízo poderia matar Elias antes de afetar Acabe. Era o servo do Senhor, não os adoradores de Baal, que estava faminto e sedento no chão do deserto. Elias é acusado e se aproxima, ao que tudo indica, do salário do pecado: a morte.

Para Elias, o problema não era apenas o que estava fora dele, mas seu interior. O profeta se desesperou, pois iria morrer sem ser melhor do que seus antepassados. Lamentou ser o único fiel restante e estar prestes a perder a vida (1Rs 19.14). Não conseguiria escapar da família real para sempre. Era apenas um homem. Olhou para sua vida e missão, e as considerou um fracasso. Ele próprio se pronunciou culpado. Nesse sentido, declarou que Acabe estava certo o tempo inteiro, não acerca de Baal, mas de Elias. Ambos chegaram à conclusão de que o profeta precisava morrer em vergonha.

A fim de compreender o que isso significa, é preciso diagnosticar primeiro exatamente o que Elias estava enfrentando. Não era, para usar as expressões cristãs tradicionais, apenas "o mundo" e "a carne", embora, como vimos anteriormente, sem dúvida isso se aplicava também. Mas Elias também estava combatendo o diabo. Talvez você pare neste momento e observe que o diabo não aparece em parte alguma dessa passagem, e é verdade. Aliás, esse ser não é mencionado em parte alguma do relato sobre Elias, o que poderia levar à conclusão de que Satanás está ausente. Como sempre, porém, o diabo mora nos detalhes.

Afinal, ali está Elias, condenado. E, a fim de identificar a obra do diabo na experiência de Elias e na nossa, precisamos entender que o principal poder do diabo não está em pular da parte de trás de um arbusto para assustar os seres humanos. O diabo não é um guerreiro, mas, muito mais, um guerrilheiro, e sua estratégia é de intimidação por meio de acusações. Ele é o adversário espiritual misterioso das Escrituras que "dia e noite [nos] acusa diante de nosso Deus" (Ap 12.10). O meio mais eficaz dessa estratégia não ocorre quando as acusações são falsas, mas, sim, quando são verdadeiras.

Faço muitas palestras com perguntas no final em faculdades e universidades. Não raro, sou abordado por ateus que discordam por completo de minhas crenças. Em sua maioria, são polidos, gentis e interessados, fazendo perguntas sem má-fé (trocadilho não intencional), com o objetivo de esclarecer, não de confrontar. De vez em quando, porém, aparece um ateu hostil que me acusa, assim como fez um deles, de ter "um amigo imaginário chamado Jesus". Isso não me incomoda nem um pouco, principalmente porque sei que, se fosse inventar um amigo, ele seria bem menos irritante em suas exigências do que Jesus. Minha pressão sanguínea não sobe e dificilmente me lembro da "acusação" quando estou repassando o dia ao tentar dormir à noite.

No entanto, algum tempo atrás, fui torturado por uma pergunta que não tinha intenção nenhuma de ser hostil. Foi um cristão que perguntou: "Você viaja muito e tem cinco filhos. Como consegue equilibrar tudo?". Era uma pergunta boa, e quem a fez só queria ter uma ideia de como equilibrar a própria agenda com tantas necessidades conflitantes. Mas doeu. Entrei na defensiva por dentro e tentei não demonstrar. Naquela época, eu estava viajando demais, havia perdido muitos jogos e peças escolares. Ele não estava me acusando de nada, mas eu me senti acusado por mim mesmo. Doeu não porque a acusação fosse falsa, mas por ser verdadeira. E o diabo sabe disso. Sim, ele é, como disse Jesus, "mentiroso e pai da mentira" (Jo 8.44). No que se refere ao primeiro poder do diabo sobre nós — o engano — esse tipo de ardil é uma ferramenta útil. Mas quando a questão é seu poder final sobre nós — o de acusação — sua força não está em estratagemas, mas, sim, na honestidade. O diabo mente acerca das consequências do pecado até sermos culpados, mas depois nos acusa implacavelmente daquele pecado.

Ao longo da maior parte da história, os seres humanos tiveram algum conceito de diabo ou de espíritos maus em atuação no cosmo, mas, em nossos tempos, poucos creem nisso. A própria ideia parece um aspecto ultrapassado das superstições pré-modernas. Contudo, o poder de acusação do diabo não perde força porque as pessoas acham que ele não existe. Para entender isso, apenas note o que acontece em uma aeronave quando uma turbulência súbita faz o avião se retorcer pelo ar. Até um naturalista convicto, que afirma que a morte é a mera não existência, um sono permanente sem sonhos e que a vida humana não passa de átomos em colisão, provavelmente irá gritar. Ele não estará com medo do sofrimento da morte; sabe que perderá a consciência antes que o avião atinja o chão. Talvez o que entre em ação nesse terror seja um mero instinto animal, um impulso de proteção à vida em ação em todo ser vivo com sistema nervoso complexo. Talvez. Mas quem sabe o medo da morte revele algo mais. Essa é a declaração bíblica: para os seres humanos, o medo da morte não diz respeito apenas à expiração física, mas a algo que vai além, a não articulada "assustadora expectativa do julgamento" (Hb 10.27).

Por que pessoas que não acreditam na existência de Deus, na vida após a morte ou até mesmo em um padrão objetivo que discerne o certo do errado teriam medo do juízo? Isso acontece porque, no âmago da psique humana, tal pessoa não existe. O apóstolo Paulo ensinou que cada ser humano tem embutido em si o conhecimento de Deus, um conhecimento ativado pela própria criação (Rm 1.18-21). A alegação não é apenas que as pessoas deveriam ser capazes de saber que há um Deus, caso sigam as pistas das evidências deixadas pelo *design* da natureza, ou o que quer que seja. Não, é algo bem mais forte. Tal conhecimento não é do tipo cognitivo e informativo, mas de ordem pessoal: "Sim, eles conheciam algo sobre Deus, mas não o adoraram nem lhe agradeceram" (Rm 1.21). Essa recusa da adoração leva à supressão da verdade, a uma espécie de auto-hipnose.

Além disso, a afirmação é que cada consciência humana está impregnada pelo conhecimento do bem e do mal, o critério pelo qual seremos julgados no último dia (Rm 2.14-16). Todos nós, longe do evangelho, tentamos suprimir esse conhecimento, tanto de como estamos pecando quanto de que pode haver um dia de prestação de contas. O resultado é uma espécie de ansiedade generalizada. A Bíblia conta que, longe de Cristo, permanecemos escravos do medo (Rm 8.15). As Escrituras falam acerca de Jesus que, "somente ao morrer, destruiria o diabo, que tinha o poder da morte. Só dessa maneira ele libertaria aqueles que durante toda a vida estiveram escravizados pelo medo da morte" (Hb 2.14-15). A maioria das pessoas, como declara Blaise Pascal, encontra "distrações" para mantê-las ocupadas, sem pensar em tais questões — distrações em forma de trabalho, jogos, amor, ressentimento ou até mesmo religião e a busca por verdade e justiça. Fazemos isso por sentir medo.[2] E sim, conforme qualquer um que ficou em "negação" ao descobrir a infidelidade do cônjuge ou sofrer em um ambiente de trabalho tóxico, até mesmo o autoengano mais vigoroso vem à tona em horas imprevisíveis e inconvenientes, e para ser mantido submerso precisa ser complementado com doses ainda maiores de autoengano.

No deserto, as defesas de Elias foram arrancadas. Ele julgou que seu projeto de vida era um fracasso e tentou acabar com tudo o quanto antes. Queria morrer. O que encontrou, porém, não foi um julgamento no fim da linha, mas um confronto com ele face a face. Deus abordou esse homem e lhe disse: "O que você faz aqui, Elias?" (1Rs 19.9,13).

O mesmo é e sempre será verdade para você. Uma barreira-chave para a coragem é a vergonha, o senso de julgamento. O apóstolo João escreveu: "À medida que permanecemos em

Deus, nosso amor se torna mais perfeito. Assim, teremos confiança no dia do julgamento, pois vivemos como Jesus viveu neste mundo. Esse amor não tem medo, pois o perfeito amor afasta todo medo. Se temos medo, é porque tememos o castigo, e isso mostra que ainda não experimentamos plenamente o amor. Nós amamos porque ele nos amou primeiro" (1Jo 4.17-19). Esse é o segredo. O jeito de sair da vergonha não é contornar o julgamento, mas atravessar bem no meio dele.

Aliás, no caso de Elias, o confronto com Deus nesse momento de vergonha o fez voltar ao ponto de partida, ao lugar onde encontramos o profeta no início da história. Quando ele anunciou o juízo de Deus sobre a casa de Acabe, disse ao rei: "Tão certo como vive o SENHOR, Deus de Israel, perante quem eu me posiciono, nem orvalho nem chuva haverá nestes anos, exceto pela minha palavra" (1Rs 17.1, ESV).* As palavras são cruciais — "perante quem eu me posiciono" [*before whom I stand*]. Elias não veio com autoridade ou credibilidade pessoal. Até então, ele não era conhecido como operador de milagres. Era apenas um camponês enigmático de um rincão escondido. Mas se posicionava perante a face do Senhor.

Com frequência, o uso do verbo "posicionar-se" [*stand*] nos confunde, sobretudo quando proferido no contexto de coragem. Pensamos em "posicionar-se" como demonstração de autoconfiança e assertividade. Podemos dizer: "Você pode

*O autor usa, aqui, a English Standard Version, que traduz o verbo hebraico *`amad* como *stand* ("posicionar-se, manter-se em pé, firmar posição"). Uma vez que as traduções em português da Bíblia usam termos diversos ("perante cuja face estou", RA, RC; "a quem sirvo", NVT, NVI, NAA), optamos por traduzir literalmente do original em inglês, a fim de não prejudicar a argumentação do autor nos parágrafos seguintes, em que ele desenvolve as acepções do verbo *stand*. (N. do E.)

até tentar me derrubar, mas vou *manter minha posição*" ou "Eu *me posiciono* em defesa disso". Em geral, em nossa era, "posicionar-se" em prol de algo significa expressar uma opinião com mais alarde. Para ser justo, há certos usos desse tipo de linguagem na Bíblia que são consistentes com o significado popular atual. Alguns valentes de Davi, por exemplo, "mantiveram sua posição" contra uma armadilha tramada pelos inimigos filisteus e os mataram (1Cr 11.14). No entanto, quando Elias se posiciona perante a face de Deus, não está se referindo a sua autoridade pessoal, mas, sim, à prestação de contas. Isso diz respeito ao lugar do juízo final, ou seja, comparecer de pé perante a face do Deus vivo.

A ideia de "posicionar-se" tem a ver com submeter-se a escrutínio e sobreviver a ele. O salmista explica que "os ímpios não prevalecerão [*stand*] no juízo" (Sl 1.5, RA). Em outra passagem, Davi cantou: "Quem pode subir ao monte do SENHOR? Quem pode permanecer [*stand*] em seu santo lugar?" (Sl 24.3). E também: "Se observares, SENHOR, iniquidades, quem subsistiria [*stand*]?" (Sl 130.3, RA). Malaquias, assim como profetizou o retorno de Elias, observou que o Senhor voltaria para seu templo, mas que essa não seria uma boa notícia para todos: "Quem permanecerá em pé [*stand*] em sua presença quando ele aparecer?" (Ml 3.2). O Novo Testamento usa o mesmo tipo de linguagem. Jesus compareceu em julgamento perante Pilatos. Paulo foi julgado perante César, mas ambos falaram sobre o momento supremo em que nos posicionaremos diante de Deus. Paulo escreveu à igreja de Roma: "Quem é você para julgar o servo alheio? Para o seu próprio dono é que ele está em pé ou cai; mas ficará em pé, porque o Senhor é poderoso para o manter em pé [*stand*]" (Rm 14.4, NAA). É exatamente essa a lição.

Elias sabia, por ser profeta, que deveria prestar contas a Deus por suas palavras, por aquilo que dizia e se recusava a dizer (Dt 18.15-22). Deus é aquele "perante quem eu me posiciono". Elias estava dizendo ao rei: "e, portanto, você não é Deus". Essa é a verdade, as Escrituras revelarão, não só para uma figura excepcional como Elias, mas para cada um de nós. É por isso que Paulo foi capaz de dizer que tinha bom ânimo à luz dessa certeza: "Pois todos nós teremos de comparecer diante do tribunal de Cristo, para que cada um receba o que merecer pelo bem ou pelo mal que tiver feito neste corpo terreno" (2Co 5.10).

Reconheço que parece insano sugerir que o antídoto para a cultura da vergonha é o trono do juízo de Cristo e que esse julgamento pode nos impulsionar para a coragem. Afinal, o juízo é aterrorizante e provoca vergonha. Já escrevi sobre o horror que senti ao ler, quando criança, um folheto cristão fundamentalista ilustrado, que retratava um morto no dia do juízo, perante Deus em um trono. À frente de todos os presentes, foi mostrado um filme detalhando cada pecado que ele havia cometido, grande ou pequeno. "Essa foi sua vida", disse um anjo ao lado do trono. Corei de vergonha, muito embora eu olhe para o passado e pense em como meus pecados naquela época eram poucos e tediosos. Mas a ideia de que meus pais, meus amigos de escola e Jesus assistiriam a minha vida parecia pior do que o inferno. A maioria das pessoas daria risada diante desse folheto, mas praticamente todos lutam, em algum momento, com os sentimentos que ele evoca.

Isso não deveria surpreender teístas bíblicos. Quando os primeiros seres humanos caíram em pecado, a primeira coisa que sentiram foi vergonha — a nudez diante do outro, escondendo-se da voz de Deus (Gn 3.8-10). Escondemos nossa fragilidade uns dos outros, e até de nós mesmos. Foi por isso que Jeremias disse: "O coração humano é mais enganoso que qualquer coisa e é extremamente perverso; quem sabe, de fato, o quanto é mau?" (Jr 17.9). Até mesmo quando as pessoas parecem felizes, confiantes e seguras de si, por dentro se reviram de ressentimento, medo e vergonha, mesmo sem conseguir explicar por quê. Contudo, para lidar com isso, as pessoas tendem a dizer para si mesmas que são capazes de cobrir seus vestígios e escondê-los de Deus e dos outros. Nem todos dizem "Não há Deus". Mesmo, porém, quando esse não é o caso, dizemos para nós mesmos: "O SENHOR não vê [...]. O Deus de Israel não se importa" (Sl 94.7). Imagino que seja por isso que aquele folheto foi tão assustador para mim, porque detalhou vividamente algo que eu já sabia, por intuição, que era verdadeiro acerca de Deus e de mim: que "nada, em toda a criação, está escondido de Deus. Tudo está descoberto e exposto diante de seus olhos, e é a ele que prestamos contas" (Hb 4.13). Tanto Acabe quanto Elias compareceriam, por fim, perante o tribunal de Deus. Mas somente Elias o sabia. E isso fez a diferença em sua vida.

Isso não funciona da maneira subentendida naquele folheto que li, nem na forma que a maioria das pessoas pensa acerca do juízo, a saber, que aguardar com expectativa o dia do juízo teria o objetivo de nos dissuadir do mau comportamento por nos ensinar a temer o castigo, assim como alguns acham que a pena de morte impedirá as pessoas de cometer crimes graves. Sim, as Escrituras advertem as pessoas quanto ao dia em que Deus julgará o mundo (At 17.31). Essa era uma parte crucial da pregação de profetas como Elias e outros que seguiram a mesma linha, inclusive João Batista. Quando o apóstolo Paulo conseguiu uma audiência com o governador

Félix, Paulo arrazoou com ele acerca "da justiça divina, do domínio próprio e do dia do juízo que estava por vir" até o ponto em que o governou ficou alarmado e mudou de assunto (At 24.25). Nada disso, porém, foi apresentado como se fosse uma informação nova para qualquer ser humano. Todos nós, assim como o velho Félix, tentamos mudar de assunto.

Deus tem se mostrado a nós, em uma criação repleta de sinais que apontam para ele (Rm 1.18-21). Mais do que isso, Deus embutiu na consciência humana uma percepção da sua lei de maneira a conduzir o pensamento das pessoas ao dia em que ele julgará "os segredos de cada um por meio de Cristo Jesus" (Rm 2.16). Se deixados à própria mercê, porém, suprimimos tudo isso, convencendo-nos de que jamais seremos descobertos, até só ficar em nossa consciência uma espécie de inquietação amorfa. Mas o evangelho muda tudo isso.

Quando nos unimos a Cristo, não nos encolhemos mais de medo ao pensar no dia do juízo. Isso acontece porque não sentimos mais a pressão de defender nossa inocência. Nosso caso está completamente exposto. Na cruz, Deus já revelou nossa culpa. Ao nos arrepender do pecado já concordamos com o veredicto, e nossa confissão contínua do pecado reafirma essa concordância. O dia do juízo já aconteceu para nós, em um sentido muitíssimo real, no Gólgota, fora dos muros de Jerusalém, há dois milênios.

Junto à cruz, Jesus foi crucificado não só em tortura, mas também em vergonha. Suas roupas foram arrancadas para a alegria de alguns soldados que apostaram para ver quem ficaria com elas, deixando-o nu diante da multidão. Além disso, foi humilhado como se não tivesse poder algum perante o império romano e, pior ainda, visto como transgressor da lei, sob a maldição de Deus (Dt 21.22-23; Gl 3.10-14). É por isso que Paulo reiterava com tanta frequência que não se envergonhava do evangelho (Rm 1.16). Não estava tentando comunicar que não se envergonhava de dizer às pessoas que seguia a Cristo, embora, sem dúvida, isso também seja verdade. Na verdade, sua afirmação era acerca daquilo que todos na época considerariam vergonhoso: a execução de um "perturbador de Israel" (e de Roma, a potência invasora) em um instrumento romano de tortura.

Jesus, que "por causa da alegria que o esperava [...] suportou a cruz sem se importar com a vergonha", é aquele que agora está "sentado no lugar de honra à direita do trono de Deus" (Hb 12.2). Se nos unimos a Cristo, estivemos nos dois lugares. Estivemos com ele, fora das portas da cidade, junto à cruz: "Portanto, vamos até ele, para fora do acampamento, e soframos a mesma desonra que ele sofreu" (Hb 13.13). E, em Cristo, somos ressuscitados dos mortos e exaltados à direita de Deus. Assim, o dia do juízo não é uma avaliação assustadora para saber se Deus é por nós ou contra nós. Conforme o Espírito nos disse: "Quem se atreve a acusar os escolhidos de Deus? Ninguém, pois o próprio Deus nos declara justos diante dele. Quem nos condenará, então? Ninguém, pois Cristo Jesus morreu e ressuscitou e está sentado no lugar de honra, à direita de Deus" (Rm 8.33-34). A boa notícia é que a cruz já nos revelou nosso dia do juízo, tanto na condenação de nossos pecados quanto no veredicto divino de justiça quando nos escondemos em Cristo Jesus. Isso nos liberta da vergonha.

Algo que me chama a atenção ao reler o Evangelho de João é o tema da consciência e conhecimento de Jesus acerca de todos que o rodeavam. João conta que Jesus "não confiava neles, pois conhecia a todos. Ninguém precisava lhe dizer como o ser humano é de fato, pois ele conhecia a natureza humana" (Jo 2.24-25). O que mais me salta aos olhos na reação de Jesus aos pecadores nos evangelhos não é o fato de perdoá-los, mas, sim, de não se chocar com nada que estivessem escondendo, para o bem ou para o mal. Jesus declarou acerca de Natanael: "Aí está um verdadeiro filho de Israel, um homem totalmente íntegro" (Jo 1.47). Trata-se de um ato positivo de julgamento, é claro, mas que Natanael não se mostrou disposto a apreciar logo de início. Afinal, quem leva a sério o elogio de alguém que nada sabe sobre a pessoa elogiada? Isso mudou após Jesus revelar que conhecia Natanael quando o viu "sob a figueira" (Jo 1.48). De maneira semelhante, Jesus mostrou o quanto conhecia acerca de uma estranha ao dizer à mulher samaritana junto ao poço que sabia de seu pecado: "teve cinco maridos e não é casada com o homem com quem vive agora" (Jo 4.18). O mais impressionante é que Jesus sabia disso quando a convidou para beber da água da vida que ele oferece. Ambos fizeram uma versão da mesma pergunta: "Como o senhor sabe a meu respeito?" (Jo 1.48). Será muito útil se fizermos essa mesma pergunta.

Deus não está esperando um *download* póstumo de dados para ser informado acerca de quem somos. Ele já sabe. Não foi surpreendido pela história de vida das prostitutas e dos publicanos com quem se sentava à mesa para comer. Informou Simão Pedro de que este o trairia antes mesmo de Pedro conseguir acreditar que seria capaz de tal ato.

E o mesmo se aplica a você.

Não é que Jesus seja capaz de ver além de sua "síndrome do impostor" para desmascarar quem você realmente é, embora isso também seja verdade. A questão é que, sabendo de tudo isso, Deus mandou o próprio Filho para morrer em seu lugar (Rm 5.8).

Jesus sabia tudo sobre as pessoas a quem queria alcançar — fraudadores estabanados e criminosos que escandalizavam a sociedade — e as buscava mesmo assim.

O mesmo se aplica a você.

Não importa onde você ouviu falar do evangelho — no colo dos pais ao ler uma história bíblica antes de dormir, em um livreto deixado dentro do metrô ou em uma conversa com um conhecido em uma cafeteria — tudo aconteceu dentro dos planos de um Deus soberano, que é Senhor da história e misteriosamente conduz para si a trama do cosmo. Quando você ouviu o evangelho, não ficou sabendo de uma alegação abstrata. Escutou algo que você estava intencionado a ouvir, de alguém ou algo que foi enviado para você, provavelmente sem nem saber disso. E Jesus sabia tudo acerca daquilo que o leva a sentir vergonha — qualquer coisa que você esteja tentando esconder, qualquer coisa a seu respeito que o torne assustado demais para se erguer.

O dia do juízo nos liberta da vergonha porque, por meio do evangelho, não tentamos mais nos esconder de Deus, como nossos antepassados pré-históricos fizeram antes de nós. A voz "Adão, onde você está?", que levou, no passado, a humanidade pecadora a se esconder envergonhada atrás das árvores, ainda ecoa. Mas agora podemos nos posicionar em Jesus, que responde à voz com confiança: "Eis aqui estou eu e os filhos que Deus me deu" (Hb 2.13, RA). Estamos escondidos nele agora, e assim estaremos no dia em que comparecermos perante o trono do juízo, bem como em cada momento que se passar entre hoje e o grande dia. Estamos livres para confessar nossos pecados com ousadia, cientes de que Jesus nos perdoa, intercede por nós e não fica chocado por nós.

Essa realidade não leva à presunção, mas, sim, à prestação de contas. Não escondemos nossos pecados, vulnerabilidades e tentações. Ao olhar para o futuro, sabemos que isso é impossível em última instância. Não nos acobertamos para nos resguardar. Não buscamos refúgio às sombras. Há trevas por toda parte; de fato, tais males grudam em nós. Iluminamos nossa escuridão, confessamos nossos pecados uns aos outros e a Deus, pedimos ajuda aos outros para que nos auxiliem a carregar nossos fardos. Se soubermos tais coisas a nosso respeito, será mais fácil nos livrarmos da atitude de julgamento em relação aos pecados e às lutas dos outros. Paulo perguntou à igreja em Roma: "Então por que você julga outro irmão? Por que o despreza? Lembre-se de que todos nós compareceremos diante do tribunal de Deus, pois as Escrituras dizem: 'Tão certo como eu vivo', diz o Senhor, 'todo joelho se dobrará para mim, e toda língua declarará lealdade a Deus'. Assim, cada um de nós será responsável por sua vida diante de Deus. Portanto, deixemos de julgar uns aos outros. Em vez disso, resolvam viver de modo a nunca fazer um irmão tropeçar e cair" (Rm 14.10-13). Saber que seremos julgados com os demais nos proporciona compaixão. Saber que Deus julgará nos liberta de fazê-lo nós mesmos.

Nós nos escondemos nele. Deus sabe tudo a nosso respeito e veio nos salvar assim mesmo. Não temos nada a temer, nada a esconder. Se não temos nada a temer além do próprio Deus, e se Deus já pronunciou que todo aquele que está em Cristo foi liberto de toda condenação, então o que temos a temer? Nada! Foi isso que o salmista quis dizer ao escrever: "O SENHOR é minha luz e minha salvação; então, por que ter medo? O SENHOR é a fortaleza de minha vida; então, por que estremecer?" (Sl 27.1). E essa é outra maneira de dizer aquilo que o apóstolo Paulo declarou em forma de pergunta: "Se Deus é por nós, quem será contra nós?" (Rm 8.31). É por isso que as Escrituras fundamentam a coragem na "expectativa e esperança" de que jamais seremos envergonhados (Fp 1.20).

Todavia, a vergonha que carregamos e que se torna pedra de tropeço para ter uma vida de coragem não é mera vergonha diante de Deus, mas também perante outras pessoas. À primeira vista, o conceito de "juízo" é nocivo para a maioria das pessoas ao nosso redor. Se você perguntar a um grupo típico de descrentes o que eles odeiam nas pessoas religiosas, uma das primeiras respostas que surgem é que os religiosos "vivem julgando os outros". Às vezes, até pessoas que não conhecem nenhum outro versículo da Bíblia sabem citar as palavras de Jesus, "Não julgueis, para que não sejais julgados", em geral usando termos arcaicos, como nas traduções antigas. E esses céticos da religião têm lá sua razão. Sem dúvida, todos já passaram por alguma experiência na qual os cristãos agiram como se fossem moralmente superiores às pessoas à sua volta e exigindo dos outros padrões que eles mesmos não alcançam. Mas nossa era não conseguiu superar nenhum tipo de julgamento.

Até mesmo a denúncia da atitude julgadora se baseia em um tipo de "julgamento", se definirmos julgamento como o discernimento entre o que é bom e o que é mau. A autenticidade é considerada boa, e a hipocrisia, má. E até aí está tudo certo. Ninguém é capaz de agir com coerência sem algum senso de justiça, uma distinção entre moral e imoral, até mesmo se discordarmos imensamente sobre quais são essas distinções. Contudo, o mais irônico é que o reconhecimento de Cristo no trono do juízo é exatamente a maior necessidade de nossa cultura e não leva a atitudes julgadoras; antes, distancia delas. O apóstolo Paulo escreveu: "Não cabe a mim julgar os de fora, mas certamente cabe a vocês julgar os que estão dentro" (1Co 5.12). Por que funciona assim? Porque "Deus julgará os de fora" (1Co 5.13). A igreja está livre de agir como juíza do mundo exterior, de tirar as ervas daninhas da plantação ou de separar os bodes dos cordeiros, exatamente porque haverá um dia do juízo no futuro e não seremos nós que estaremos assentados no trono para julgar.

E simplesmente não é verdade que vivemos em um tempo sem julgamentos, a despeito de como queiramos nos enxergar. Nossa era tão somente substituiu o trono do juízo de Cristo por incontáveis minitronos de julgamento. E, para completar, a pena final dispensada por quem se assenta nesses tronos humanos é vergonha e exílio. Seja em um refeitório da escola, na sala dos professores de um seminário ou no salão de jogos de um asilo, a maior punição é ouvir: "Você não é um de nós. Vá embora". Isso é vergonha. E o medo desse tipo de vergonha leva as pessoas a se esconder detrás de qualquer multidão de quem necessitam, a fim de se sentirem parte de algo.

Isso pode muito bem acontecer dentro da igreja bem como em qualquer outro lugar, e talvez até mais. Recebemos a ordem de nos afastar do pecado, jamais do pecador. Mas é muito mais fácil fazer o contrário. E a acusação "ele se senta à mesa com publicanos e pecadores" continua válida. Coragem é não temer aqueles que tentarão intimidá-lo, para que não siga o caminho de Cristo em busca dos doentes, carentes de um médico. As Escrituras são claras no chamado para julgarmos os de dentro, a quem chamamos de irmãos, não os de fora. Fazer o contrário pode abrir espaço para um ministério muito mais fácil.

O trono do juízo, quando corretamente compreendido, oblitera tudo isso. A libertação da vergonha perante Deus pode levar à libertação da vergonha diante dos outros. Reflita sobre o que o apóstolo Paulo escreveu para seus críticos em Corinto: "Quanto a mim, pouco importa como sou avaliado por vocês ou por qualquer autoridade humana" (1Co 4.3). À primeira vista, esse tipo de mentalidade parece atraente para nossa cultura, pois se assemelha a uma contestação do tipo "Você não pode me julgar", favorável a uma busca autônoma por autenticidade pessoal. Contudo, nada poderia estar mais distante da realidade. Ele continuou: "Na verdade, nem minha própria avaliação é importante. Minha consciência está limpa, mas isso não prova que estou certo. O Senhor é quem me avaliará e decidirá. Portanto, não julguem ninguém antes do tempo, antes que o Senhor volte. Pois ele trará à luz nossos segredos mais obscuros e revelará nossas intenções mais íntimas" (1Co 4.3-5). Paulo não se sentiu liberto da opinião alheia a seu respeito porque não prestaria contas em juízo, mas exatamente por causa dessa realidade. Ele entendia que o conhecimento acerca de si mesmo era, em última instância, um mistério até para ele, quanto mais para os outros!

Às vezes, conseguimos entender um pouco do por que fazemos as coisas de determinada maneira, mas, na maioria das vezes, não somos capazes de identificar tudo. E, se tentarmos processar todos os nossos motivos e intenções ocultas, acabaremos em um labirinto sem saída. Mas não precisamos conhecer tudo que se passa em nosso interior a fim de buscar santidade e obediência. Aliás, boa parte daquilo que é retratado na cena do juízo nos evangelhos é um mistério para os envolvidos. Com frequência, a passagem de Mateus 25 — de Jesus, o pastor, separando as ovelhas dos bodes, aqueles que ganharão a vida eterna daqueles que sofrerão condenação — pode ser incômoda para os cristãos. Afinal, Jesus disse que o critério de distinção entre os dois é que as "ovelhas" o reconheceram no faminto, no despido, no encarcerado e no estrangeiro enquanto cuidavam de tais pessoas, ao passo que os "bodes" não o fizeram. O objetivo do ensino de Jesus, porém, é que as coisas importantes à luz do reino não são o que parece ganhar relevância neste universo caído, sangrento e obcecado por *status* e prestígio.

No ensino de Jesus sobre o dia do juízo, as "ovelhas" são identificadas não por causarem forte impressão visível (nem mesmo impressão visível em sua dedicação no serviço aos necessitados); os bodes têm isso. Em vez disso, são consideradas "ovelhas" porque conhecem a Cristo e o seguem por onde ele conduz. Jesus disse: "Eu lhes digo a verdade: quando fizeram isso ao menor destes meus irmãos, foi a mim que o fizeram" (Mt 25.40). Mas isso causa surpresa não só nos perdidos, mas também nos redimidos. As "ovelhas" não se reconhecem nas declarações de Cristo a respeito delas: "Senhor, quando foi que o vimos faminto e lhe demos de comer? Ou sedento e lhe demos de beber?" (Mt 25.37). Não conseguimos interpretar bem nem a própria vida, quanto mais a dos outros!

Mas pensar com cuidado acerca da própria vida é importante. David Brooks, colunista do *New York Times*, estabeleceu a célebre distinção entre "virtudes de currículo" (nossas realizações na carreira, nas finanças e na fama) e "virtudes póstumas" (os aspectos de nosso caráter do qual as pessoas se lembrarão quando morrermos, os quais ele argumenta corretamente que são mais importantes).[3] Contudo, pode ser difícil discernir as "virtudes póstumas" de dentro para fora. Todos conhecemos alguém que carece de autoconhecimento.

Em diferentes graus, todos nós carecemos. No entanto, superando tudo isso ao fim da vida, mais importante que nossas "virtudes de currículo" e "virtudes póstumas" seria a proclamação do trono do juízo: "Muito bem, meu servo bom e fiel" (Mt 25.23). Quando encontramos isso em Cristo, podemos começar a ver o que é importante e o que não é. Também podemos começar a entender que muito daquilo que considerávamos importante veio da imitação das pessoas ao nosso redor ou da busca, consciente ou inconsciente, por aprovação da parte delas.

A mãe de uma adolescente me contou, há pouco tempo, que ficava confusa com os impulsos aparentemente contraditórios da filha entre ser um indivíduo e pertencer à família. "Ela parece me querer por perto e, ao mesmo tempo, se ver livre de mim", contou a mãe. "É difícil saber se devo me aproximar ou me afastar um pouco para lhe dar espaço, pois acho que nem ela mesma sabe o que quer." Até certo ponto, não se trata de uma mera luta adolescente, mas, sim, de um conflito que enfrentaremos ao longo da vida inteira. Conforme observa o escritor Ziyad Marar, isso acontece porque todos nós somos instigados por dois impulsos contraditórios: a necessidade de ser livres e a necessidade de ser justificados. Ele define "liberdade" como um senso de controle, agência e autodeterminação; já a justificação é "o desejo de pertencer e ser aplaudido".[4] Marar explica que, em culturas antigas, a necessidade de justificação se encontrava principalmente nos deuses ou nas tradições, mas, em nossa era secular, só podemos encontrá-la uns nos outros.[5] O caminho para a felicidade está em encontrar algumas sínteses para essas necessidades contraditórias. Contudo, o lado sombrio desse tipo de "liberdade" é o isolamento e a solidão, enquanto o lado sombrio desse tipo de "justificação" está na realidade de que o mesmo grupo capaz de aplaudir também pode rejeitar e despertar vergonha.

Esse poder limitador da vergonha é o alvo de Seth Godin, escritor sobre cultura e tecnologia, ao argumentar que o medo da crítica leva, na melhor das hipóteses, à mediocridade e, na pior, à paralisia criativa. "As tribos tentam envergonhar quem age ou tem aparência diferente", escreve. "Quando as pessoas em situação de poder usam a vergonha para intimidar os mais fracos a fazer sua vontade, estão roubando de nós. Dizem que exporão nossos segredos (não é bom o suficiente, não trabalha o bastante, não vem da família certa, cometeu um erro grave no passado) e usarão a verdade para nos alienar de nossa tribo. Essa vergonha profunda que vive dentro de nós é usada como ameaça."[6] As pessoas reagem a esse tipo de medo da vergonha ficando na delas, sem sair dos limites que poderiam expô-las ao exílio. Na maioria das vezes, isso não é uma ameaça explícita, como a promessa feita por Jezabel de matar Elias, mas uma ameaça velada.

Certa vez, alguém me contou sobre como agia em sua casa quando criança. Aprendeu a andar na ponta dos pés ao passar pela sala porque, não raro, o pai desmaiava bêbado no sofá. Ninguém jamais mencionou a embriaguez do pai, nem instruiu a criança a permanecer em silêncio no meio do dia. Mas era a maneira velada de permanecer na tribo. Tudo isso, porém, leva a uma conformidade sufocante, ao fechamento de ideias e dons que poderiam abençoar o mundo. Godin argumenta que a resposta está em escolher o público certo. O autor explica que o conhecimento do público lhe dirá em quem se concentrar e de quem receber *feedback*, bem como a quem ignorar. "Se você não interpretar seu público, acabará fazendo arte para seus críticos mais incisivos e ranzinzas", escreveu. "E isso é um desperdício."[7]

A conformidade leva, em última instância, ao cinismo, pois os impulsos da multidão não são governados pela verdade, mas pelo medo. Conforme observou o filósofo Søren Kierkegaard: "A maioria das pessoas tem menos medo de defender uma opinião errada do que de defender uma opinião sozinhas".[8]

Essa atração pela conformidade não se limita a determinadas áreas, mas se manifesta em praticamente todos os aspectos da vida comum: emprego, relacionamentos, educação dos filhos ou o papel de filho. Ninguém agrada a todos o tempo inteiro. Conforme um amigo me disse certa vez: "Jamais agonize por causa de críticas feitas por pessoas a quem você jamais pediria conselho". Ainda assim, a vergonha está envolvida em uma esfera mais ampla do que o mero desenvolvimentos de aspectos individuais. Existe a questão existencial mais ampla de saber se o que ocasiona a vergonha em suas palavras ou em suas palavras se baseia na vergonha generalizada não só daquilo que você faz ou pensa, mas de quem você é.

A resposta à vergonha não pode ser a negação dos atos vergonhosos. Afinal, você é filho de Adão, parte de uma humanidade caída impulsionada, na realidade, à vergonha. E você pessoalmente já fez inúmeras coisas vergonhosas. É possível estar disposto a encontrar coragem para superar a vergonha em questões específicas. Contudo, para encontrar coragem de viver sua vida é preciso chegar à raiz da vergonha. É preciso carregá-la, ou melhor, ver quem a carregou por você. Somente alguém que já foi julgado pode fazer isso. Somente alguém que foi crucificado por fazer isso.

É por isso que o apóstolo Paulo foi capaz de dar continuidade à sua missão, apesar de ser mal interpretado e difamado: "Acaso estou tentando conquistar a aprovação das pessoas? Ou será que procuro a aprovação de Deus?" (Gl 1.10). E é por isso que Jesus não hesitou quando compareceu perante o "trono do juízo" de Pilatos (Mt 27.19; Jo 19.13). Ele sabia que o verdadeiro trono do juízo estava por vir e que os papéis se inverteriam. Logo, não precisamos encontrar aprovação da multidão ao nosso redor ou da multidão dentro de nossa cabeça. Não precisamos comparar nossa vida com a dos outros. Não precisamos nos justificar e responder cada mentira, difamação, acusação falsa ou crítica. Jesus disse aos discípulos que eles seriam "julgados diante de governantes e reis" por sua causa (Mt 10.18), difamados e expulsos de suas comunidades. E, no entanto, ele os orientou: "Quando forem presos, não se preocupem com o modo como responderão nem com o que dirão" (Mt 10.19). Por quê? Jesus instruiu seus discípulos a encontrar nele sua identidade, não na posição deles diante de qualquer tribunal humano, e lhes voltou a atenção para o trono do juízo: "Não tenham medo daqueles que os ameaçam, pois virá o dia em que tudo que está encoberto será revelado, e tudo que é secreto será divulgado" (Mt 10.26).

Assim, conhecendo o "temor do Senhor", somos libertos do temor das pessoas e do temor da vergonha. Ao nos afastar dessa realidade, somos deixados com medo e vergonha porque, mesmo quando conseguimos a aprovação dos seres humanos, ela é passageira e cansativa de manter. Dificilmente é o mesmo que a aprovação de um Pai que conhece de verdade quem você realmente é e o ama mesmo assim. A libertação da vergonha acontece por meio do juízo.

Foi assim que Elias se sentiu capaz de se posicionar com ousadia perante Acabe, pois ele já se enxergava de pé perante

Deus. A crise no deserto o levou de volta a um encontro face a face com a vergonha, não para deixá-lo lá, mas para conduzi-lo de volta a um senso de identidade e chamado. O mesmo se aplica a você. Uma boa notícia: o dia do juízo está a caminho. E uma notícia melhor ainda: o dia do juízo já chegou. É aqui que você se posiciona, escondido em Cristo, ouvindo ser pronunciada sobre você a mesma sentença proferida nas águas do Jordão e depois novamente no jardim do túmulo vazio: "Este é meu Filho amado, que me dá grande alegria" (Mt 3.17). O critério não é a força de sua fé — por mais frágil e vacilante que ela sem dúvida seja —, mas, sim, a Vida à qual essa fé o uniu, a vida crucificável e, ao mesmo tempo, irrepreensível de Jesus.

A vida é curta. Não se envergonhe.

4
Coragem e integridade

Plenitude em meio à crise

Fingir ser médico é crime, mas ninguém enquadraria aquele velhinho. Para começo de conversa, ele não estava fingindo de fato. Era formado em medicina, tinha credencial para o exercício da profissão e décadas de experiência. Aliás, fora o número um de sua área, pelo menos por um tempo, e diretor de um hospital de prestígio que tratava pacientes com demência e outras doenças cognitivas relacionadas ao envelhecimento. Sabia exatamente como lidar com pacientes que se esqueciam dele de uma consulta para outra, mesmo que o intervalo entre essas consultas fosse de algumas horas. No entanto, a cruel ironia é que quando Oliver Sack nos introduz esse colega de profissão em um de seus livros, o doutor já estava idoso e acometido justamente de demência, a doença que ele havia passado a vida inteira combatendo, e internado no hospital do qual um dia fora diretor. Ele, porém, não sabia disso. O ambiente lhe era familiar; então, como era de costume, todos os dias visitava os pacientes, acompanhava o progresso deles, examinava o prontuário e fazia anotações sobre os casos. Ele não deveria mais exercer a medicina, mas ninguém lhe disse isso. Os pacientes com certeza não estavam em melhor condição de informá-lo, de modo que a equipe hospitalar provavelmente achou que seria melhor para aquele homem continuar vivendo em sua ilusão.

Todavia, tudo chegou ao fim quando, certo dia, enquanto fazia seu plantão pelo hospital, ele folheou o prontuário ao lado de uma cama vazia. Leu o diagnóstico de demência avançada, junto com uma lista de sintomas e resultados de exames. Então leu o nome do paciente no alto do prontuário — e era o nome dele. "Sou eu!", ele exclamou. "Valha-me Deus!"[1]

O que estava em jogo para aquele homem era uma questão de integridade. A palavra não parece se adequar porque temos a tendência de pensar em integridade somente em termos de julgamentos morais — "Ela tem duas caras, falta-lhe integridade", etc. Sem dúvida, isso faz parte do conceito. Mas estou me referindo aqui, a princípio, a um sentido bem mais literal, de unir as partes e fazer sentido como um todo coerente. Na vida desse homem, houve uma crise relativa à verdade — a verdade de como ele enxergava o mundo à sua volta e, consequentemente, a verdade acerca de quem ele era. As anotações do hospital revelavam que a situação não era o que parecia e ele não era o que parecia.

Esse também é nosso desafio.

Se você espiar em nossa casa qualquer dia desses, poderá muito bem ouvir uma conversa como esta: "O Samuel e o Jonas estão na casa de Moisés, com Isaque. Depois a mãe do Jeremias vai levá-los para a casa do Daniel". Os nomes escolhidos para as crianças que nascem passam por altos e baixos, é claro, mas não consigo me lembrar de nenhuma época em que "Jezabel" tenha sido um nome da moda para meninas. Tampouco conheci algum homem chamado "Acabe", muito embora isso se deva ao capitão do mar obcecado com baleias do romance de Herman Melville do que por conhecimento bíblico. Com os profetas, porém, a história é bem diferente. Enquanto escrevo estas linhas, o crachá do atendente da cafeteria onde estou revela que seu nome é "Sofonias". O jovem no caixa se chama "Miqueias". A situação provavelmente seria outra se eu morasse em Portland ou Santa Barbara, mas vivo em uma região residencial da grande Nashville, ainda suficientemente isolada das tendências secularizantes, no Cinturão da Bíblia. Acrescente a isso a bolha específica na qual vivemos, que inclui a igreja na qual cultuamos e a cooperativa de *homeschooling* de que meus filhos participam, e você deparará com nomes bíblicos por todo canto.

Boa parte dessa realidade tem a ver com a grande quantidade de opções disponíveis para os pais que buscam referências bíblicas para dar nome aos filhos. Há algumas opções de patriarcas e matriarcas ("Jacó" ou "Rebeca", por exemplo) e os discípulos de Jesus no Novo Testamento. Mas pouquíssimas crianças recebem o nome de reis e rainhas da Bíblia. É verdade, muitos meninos se chamam "Davi" e há também algumas garotinhas com o nome de "Ester". "Salomão" é um nome que entra na moda e sai de novo, já que os pais de lares com o hábito de ler a Bíblia se preparam consternados para o dia em que seu pequenino perguntará: "Mamãe, o que é concubina?". O nome "Josias" é uma boa opção e, talvez, se as pessoas não se perguntarem quanto tempo levará para a criança conseguir escrever o próprio nome, "Ezequias". Além desses, porém, as opções diminuem drasticamente, ao se levar em conta o retrato deprimente da vida moral e espiritual desses governantes do Antigo Testamento.

Essa situação sombria piora ainda mais quando chegamos à história de Elias. As Escrituras nos contam que Acabe "fez o que era mau aos olhos do SENHOR, pior que todos os reis antes dele" (1Rs 16.30). E isso significa algo, tendo em vista todos que vieram antes dele. Assim, ao confrontar Acabe e Jezabel, Elias tinha todos os motivos para se desesperar. A família real tinha mais do que um exército e um tesouro com muitas riquezas. Tinha a capacidade de moldar a realidade sob seu domínio. Podia definir o certo e o errado, a verdade e a mentira. Tudo que o profeta tinha era uma mensagem da parte de Deus. Era uma questão de integridade, e a coragem de enfrentar o futuro dependia disso.

Em sua luta pessoal por coragem, essa situação bíblica provavelmente difere bastante da sua. Afinal, dificilmente uma rainha que ameaça com pena de morte está perseguindo você em meio à natureza.

O problema fundamental, porém, permanece o mesmo. A fim de se posicionar com coragem, é preciso saber o que de fato é real e o que é falso, o que é verdade e o que é mentira. Em cada era e lugar, a tendência será de definir a verdade de acordo com a vontade dos poderosos e os caprichos da multidão, em lugar de algo que transcenda tudo isso. Seja na família, no trabalho ou até mesmo na igreja, você enfrentará a pressão de permanecer em silêncio acerca de determinadas coisas ou até mesmo de ignorar a realidade, para se resguardar do incômodo de entrar em rota de colisão com alguém que possa lhe causar dano ou de diferir da sabedoria convencional. O resultado é uma consciência que não consegue mais diferenciar entre o bem e o mal, somente entre "seguro" e "assustador", entre "útil" e "inconveniente".

Os caminhos de Deus são diferentes. É por isso que a desavença entre o profeta e o rei não costuma ser travada no âmbito da geopolítica, como no caso de Elias, mas, na maioria das vezes, no palco da psique humana. Não é preciso que

Jezabel esteja atrás de seu sangue para se sentir tentado a trocar a verdade pela segurança. Só é preciso deparar com quem quer que seja ou com o que quer que seja que você teme. Então a questão será que tipo de integridade se formou em seu interior, a fim de prepará-lo para esse momento.

A maioria das pessoas que dá nome de profeta ao filho o faz para homenagear o homônimo da criança (e porque *gosta* do nome). Os cristãos, de modo geral, tendem a olhar para os profetas como heróis dignos de louvor, mas inimitáveis, distanciados de nossas circunstâncias. Se esse é seu caso, reconheça que é bem provável que você esteja mais próximo da situação deles do que imaginou até aqui. Em nossos tempos, esquivamo-nos dos termos "profeta" e "profético", assim como de vários outros termos bíblicos. "Pastoral", por exemplo, passou a significar, pelo menos para muita gente, uma personalidade passiva e avessa a conflitos. "Ele jamais chamaria atenção do agiota predador de trabalhadores de sua igreja que pratica extorsão e tráfico de pessoas", alguém poderia dizer, "pois é pastoral demais." Na realidade, porém, "pastoral" significa exatamente o contrário, baseado na imagem do pastor que afugentava predadores e que realizava expedições perigosas para resgatar animais em perigo.

Assim também, o termo "discernimento" foi cooptado por adeptos barulhentos de teorias da conspiração e por caçadores de heresias, que vivem divulgando calúnias inventadas contra qualquer autoridade que encontrarem. Segundo a definição bíblica, porém, a palavra significa sabedoria para saber o que é verdadeiro e o que é falso.

De maneira semelhante, o termo "profeta" costuma ser reservado para evangelistas excessivamente confiantes que predizem falsamente o fim do mundo por toda parte. E, em escala menor, o termo "profético" é destinado para pessoas naturalmente briguentas. Em geral, a pessoa atraída à palavra "profético" sempre se enxerga como um Elias contra Acabe, Agostinho contra Pelágio ou Martinho Lutero contra o papa, quando, na verdade, tal indivíduo seria igualmente intenso em suas argumentações caso fosse um *zen* budista em um complexo de meditação ("Aquele guru não é iluminado de verdade!") ou um vegano em um grupo ativista em prol da libertação animal ("Ser apenas vegetariano não é puro o suficiente! Comer derivados do leite é o mesmo que trabalho forçado!"). Para tais pessoas, a religião é um mero acessório para ornamentar o ambiente. É pouco mais do que um pano de fundo, um cenário para o pugilista extravasar sua ira disfarçada de fervor espiritual. O zelo desse suposto profeta não vem do Espírito, mas, sim, do sistema límbico.

Esse problema foi aumentado pelo uso popularizado dos "testes de dons espirituais" nas igrejas ao longo das últimas gerações, quando o dom de "profeta" do Novo Testamento passou a ser atribuído a pessoas que gostam de apontar defeitos e discutir. Mas não é essa a imagem que temos dos profetas bíblicos. Eles dificilmente eram assertivos acerca de si mesmos e autoconfiantes. Na maioria das vezes, mostravam-se relutantes e até mesmo atemorizados. Isso acontece porque "profético" não diz respeito a um tipo de personalidade, mas à transmissão de uma mensagem. É por isso que o chamado do profeta tem a ver com sua integridade e coragem, a despeito de sua disposição ou de seus dons espirituais.

Ao estudar a Bíblia, cristãos ao longo dos séculos têm chamado a atenção para os ofícios distintos de profeta, sacerdote e rei, os quais eram essenciais para a organização do povo de Israel. Todos esses ofícios chegaram ao ponto culminante na pessoa de Jesus de Nazaré. Se você está em Cristo, a Bíblia ensina que você compartilha do chamado e da herança dele. Isso quer dizer, em sentido muito qualificado e derivativo, que você compartilha de algo de todos esses três ofícios. O ofício de rei foi criado para manter a ordem interna (pense em Salomão julgando a disputa entre as duas mulheres a fim de descobrir qual era a mãe verdadeira do bebê vivo) e para defender o povo de ameaças externas (lembre-se de Davi guerreando contra os filisteus). Jesus, descendente de Davi, é o Rei legítimo de Israel e do universo inteiro. E Jesus explica que aqueles que lhe pertencem governarão e reinarão com ele na era por vir (Lc 22.28-30). A tentação, porém, é que os cristãos presumam que, por reinarem futuramente com Cristo no céu, devem agora estar no controle do mundo exterior que ainda não se encontra sob seu reinado direto (1Co 4.8-9).

Da mesma maneira, os cristãos falam bastante sobre o conceito bíblico de "sacerdócio de todos os crentes", mas este também precisa de ressalvas. Jesus é o único mediador entre Deus e a humanidade (1Tm 2.5). O sacerdócio do Antigo Testamento se cumpriu por completo nele. Assim, seria um pecado grave sacrificar um bode na mesa da Ceia ou dizer para um pecador não arrependido que seus pecados estão perdoados. Isso não anula a ideia de "sacerdócio"; pelo contrário, a define. Em Cristo, somos um reino de sacerdotes (1Pe 2.5; Ap 1.6; 5.10). Isso quer dizer que cada um de nós, pelo corpo quebrado, o sangue derramado e a mediação ativa de Jesus, tem acesso ao Pai. Então nós oramos e intercedemos uns pelos outros perante Deus. Em Cristo, todos participamos do chamado profético.

Em muitos aspectos, porém, isso poderia parecer bem distante da realidade. Elias, por exemplo, era bem diferente e distinto em seu estilo de vida e chamado. A estranheza se fazia notar até mesmo em sua indumentária e alimentação. O mesmo se aplica a seu sucessor futuro, João Batista. Mas o aspecto mais distinto da vida e do chamado de Elias era a mensagem repetida: "Então o SENHOR disse a Elias". Isso faz parte da dinâmica atuando até mesmo na maneira que temos o primeiro encontro com Elias e com os outros profetas que vieram tanto antes quanto depois dele. Acabe é apresentado com base em sua origem e reputação. Ele vem em nossa direção como um trem vagaroso que passa pelos trilhos. Elias, em contrapartida, parece surgir do nada. Não é identificado por sua linhagem, por conquistas, nem por sua estirpe. Era simplesmente o "tisbita", de "Tisbe, em Gileade", lugar que ninguém sabe identificar no mapa. Mas isso é apropriado, pois é exatamente assim que a Palavra de Deus opera.

As Escrituras, nesse ponto, parecem se afastar de seu rumo anterior. "A partir do final do reinado de Salomão, o centro de gravidade muda dos reis para os profetas. A narrativa redireciona a atenção das intrigas palacianas e empreitadas reais, incluindo até mesmo guerras, como os principais moldes da história", explica a erudita Ellen Davis. "Em vez disso, o que ganha destaque é a soberania da palavra profética em si, agindo de maneiras que podem ir além das intenções e esperanças do profeta e, às vezes, agir de forma diretamente contrária a elas."[2] Davis argumenta que Elias "não provinha de nenhuma linhagem conhecida, mas de um lugar desconhecido de um rincão distante, longe dos centros do poder", precisamente porque a ênfase não está em Elias, mas na mensagem que ele transmite, uma mensagem perigosa não só para Acabe e Jezabel, mas também para o próprio profeta.[3]

O que tudo isso tem a ver com sua luta contra o medo? Assim como há um sacerdócio de todos os crentes, existe também a "profeticidade" de todos os crentes. Jesus disse que João Batista veio no espírito de Elias e que João era o maior profeta até aquele momento. No entanto, Jesus também afirmou, para nossa grande surpresa, que "até o menor no reino dos céus é maior" que João (Mt 11.11). No dia de Pentecostes, Pedro disse que a vinda do Espírito representava o cumprimento das palavras de Joel: "'Nos últimos dias', disse Deus, 'derramarei meu Espírito sobre todo tipo de pessoa. Seus filhos e suas filhas profetizarão" (At 2.17). Foi isso que aconteceu. E Simão Pedro, o pregador do Pentecostes, explicou posteriormente na Bíblia como e por quê.

Pedro passou grande parte do tempo enfatizando que fora testemunha ocular da vida, dos ensinos e das aparições de Jesus após a ressurreição. Ele também foi testemunha ocular da visão de Elias. Certa vez, em um monte, Pedro e dois de seus companheiros viram Elias e Moisés, transfigurados em luz com Cristo (Mt 17.1-13). Pedro contou isso às igrejas, junto com o testemunho de que ele ouviu pessoalmente a voz de Deus trovejar em resposta a esse estranho evento (2Pe 1.16-18). Ainda assim, Pedro não escolheu fazer disso um motivo para se vangloriar de sua singularidade na história, mas escreveu, em contraste com seu testemunho ocular: "Além disso, temos a mensagem que os profetas proclamaram, que é digna de toda confiança. Prestem muita atenção ao que eles escreveram, pois suas palavras são como lâmpada que ilumina um lugar escuro, até que o dia clareie e a estrela da manhã brilhe no coração de vocês. Acima de tudo, saibam que nenhuma profecia nas Escrituras surgiu do entendimento do próprio profeta, nem de iniciativa humana. Esses homens foram impulsionados pelo Espírito Santo e falaram da parte de Deus" (2Pe 1.19-21).

"Não há provas da existência do Deus de Abraão, somente testemunhas", escreveu o rabino Abraham Joshua Heschel. "A grandeza do profeta reside não só nas ideias que expressava, mas também nos momentos que ele vivenciava. O profeta é uma testemunha, e suas palavras são um testemunho."[4] Além das coisas milagrosas e sobrenaturais que seus olhos contemplaram, Pedro afirmou que a palavra profética era a base de seu testemunho. Nas Escrituras, temos a "palavra profética", a revelação de Deus. E, por meio da Bíblia, todos nós somos testemunhas da verdade do evangelho, um testemunho que somos instruídos a levar ao mundo inteiro (Mt 28.19). Isso continua a ser verdade.

A palavra do Senhor veio a Elias, e, em Cristo, a palavra do Senhor veio até você.

Essa revelação é uma questão de integridade. E, mais uma vez, apesar de termos o costume de usar a palavra *integridade* principalmente para se referir ao caráter (em geral) de outras pessoas, a metáfora subjacente à ideia de integridade é arquitetônica. Um prédio é "íntegro" quanto sua construção está firme, capaz de mantê-lo intacto. Jesus usou essa metáfora na conhecida parábola das duas casas, uma construída sobre a rocha sólida e a outra, sobre a areia instável. A primeira foi capaz de resistir às tempestades e aos ventos, já a segunda desabou — e, conforme as palavras de Jesus, "com grande estrondo" (Mt 7.24-27). É uma história sobre integridade. E note que ela funciona de duas maneiras, tanto por fora quanto por dentro. Do lado de fora, a "rocha" que proporcionava a base na história de Jesus é a Palavra de Deus. Por dentro, a vida construída sobre outra base pode até parecer impressionante e sólida, mas, por fim, desaba em si mesma. Encontramos esse tema de novo nas palavras de Jesus sobre o templo. Jesus não se mostra nada impressionado com a integridade estrutural do templo de Jerusalém. Enquanto os discípulos se gabavam de sua magnificência, Jesus lhes disse: "Eu lhes digo a verdade: elas serão completamente demolidas. Não restará pedra sobre pedra!" (Mt 24.2). Mas o templo que Jesus constrói é, nas palavras de Pedro, como "pedras vivas" (1Pe 2.4-8) que não podem ser abaladas, pois são edificadas sobre a palavra de Deus.

A relação de tudo isso com a coragem pode ser vista com clareza na trajetória de Elias ao fugir de Jezabel. Sabemos o *porquê* da partida para o deserto ("Elias teve medo"), mas também devemos prestar atenção ao *onde.* Afinal, o profeta não estava vagando sem rumo. Dirigia-se a um lugar específico, ao Horebe, "o monte de Deus" (1Rs 19.8). É fácil desculpar o esquecimento desse detalhe, passado por alto como apenas mais uma observação geográfica que só interessaria aqueles que prestam atenção aos mapas nas últimas páginas da Bíblia. Mas o monte não é um mero detalhe. Nós já vimos esse monte antes. Moisés foi para lá quando também se sentiu assustado pela ameaça de ser preso pelas autoridades. E ali Moisés teve um encontro com Deus em uma sarça que ardia com um fogo sobrenatural (Êx 3.1-5). Posteriormente na história de Moisés, cairia fogo novamente, enquanto Deus entregava por intermédio de Moisés seus mandamentos ao povo de Israel.

Foi a partir desse monte que os israelitas começaram sua jornada rumo à terra prometida (Êx 33.6; Dt 1.1-6). E Elias estava seguindo o caminho para trás, passando pelo deserto de volta até o local no qual o povo tinha ouvido Deus pela primeira vez. A pergunta é: por quê? E é por esse motivo que devemos voltar à declaração inicial de Elias a Acabe: "Tão certo como vive o SENHOR, Deus de Israel, perante quem eu me posiciono". Conforme já observamos, essa linguagem diz respeito à prestação de contas perante o trono do juízo de Deus, mas também fala de integridade.

Elias se definiu como o responsável pela mensagem que proferia. Ele fazia valer as próprias palavras. E, agora, ali estava ele, esgotado de zelo, em crise. Naquele momento, seu mundo parecia desmoronar. Então Elias voltou para o ponto de partida, não só da própria história, mas da história de seu povo. Para ter coragem, é preciso ter integridade. E, para ter integridade, é preciso saber de que se pode depender e em qual palavra se pode confiar.

A fim de chegar a esse conhecimento, devemos reconhecer o motivo que levava reis e profetas a entrar em conflito uns com os outros com tanta frequência. Ambos os ofícios (juntamente com o sacerdócio) eram necessários para a integridade do povo de Deus, mas de maneiras bem diferentes. Alguns observadores da cultura popular destacam que os personagens fictícios de livros, filmes ou jogos em geral podem ser divididos em agentes de ordem e de caos, ou seja, aqueles que mantêm a estabilidade e aqueles que a atrapalham. Em sentido bem real, essa distinção explica a divisão entre as esferas monárquica e profética (mesmo quando não se incorria no nível baixo e degradante de imoralidade de Acabe e Jezabel).

Os reis deveriam manter a ordem e a continuidade. Muito embora, na época de Elias, o reino de Israel houvesse se "des-integrado" em dois reinos com dois tronos, a realeza continuava atrelada à linhagem de Davi. É por isso que as genealogias reais eram importantes. A fim de saber quem era o rei, era necessário mencionar a família real, a qual daria origem também ao rei seguinte e ao que viria depois. Essa estabilidade, porém, deixada por si só, decaía com frequência em presunção monárquica. Com o tempo, as instituições passavam a se considerar autogeradoras e autossustentáveis, assim como Deus predissera (1Sm 8.10-18). E, conforme já concluiu praticamente cada poder terreno, não há nada melhor para assegurar o poder do que controlar o que é definido como verdade ou, pelo menos, o que se permite chamar de verdade.

Quando a instituição profética é controlada pelo poder, em lugar do contrário, o resultado é o acobertamento e a manipulação das informações. Pense, por exemplo, em Balaão, que recebeu de um rei a ordem de proferir bênçãos ou maldições como estratégia militar, ou no número incontável de profetas da corte que transmitiam a mensagem que o rei queria ouvir, em troca de segurança pessoal, financeira ou da mera proximidade ao poder. A Lei de Moisés, porém, exigia que o rei escrevesse uma cópia das Escrituras, a fim de lê-la todos os dias (Dt 17.14-20), para lembrá-lo de quem ele era e para quem deveria prestar contas. Deus sabia que o rei teria a tendência de achar que era deus, assim como o faraó, no Egito.

Assim, Deus enviava profetas — Samuel a Saul, Natã a Davi, Elias a Acabe —, lembrando todas essas autoridades de que nenhuma tinha a autorização de inventar a própria verdade. Os profetas reiteravam uma mensagem que Martinho Lutero transmitiu em forma de hino: "Sim, que a Palavra ficará, sabemos com certeza". Com isso Deus introduziu, na estabilidade da monarquia, o caos da palavra profética. A monarquia foi projetada para manter a ordem e a continuidade, ao passo que a esfera profética visava provocar crises e rupturas. Ambas eram necessárias para a integridade, para que as coisas permanecessem ligadas. A Palavra de Deus tinha integridade, mesmo quando isso faltou nas instituições.

Tal dinâmica continua em operação. É só avaliar como verdade e autoridade são usadas a fim de acobertar casos de abuso físico, sexual e espiritual dentro das igrejas ao redor do mundo — em geral isso é feito por autoridades espirituais bem consolidadas e respeitadas, muitas vezes citando textos bíblicos, a fim de atacar vítimas inocentes. Quando pegos, quase sempre se defendem apelando a algum conceito pervertido sobre a graça. "Deus é capaz de perdoar qualquer coisa", dizem os abusadores que lançam mão desse tipo de justificativa com o objetivo de se manter em posição de autoridade, com acesso a futuras vítimas. De igual maneira, eles quase sempre se comparam ao rei Davi no salmo 51. Assim fazendo, cooptam a Bíblia e até mesmo o evangelho (ou melhor, uma versão barata e antibíblica do evangelho) para encobrir seus crimes.

O Novo Testamento nos adverte de que, com frequência, há "lobos" presentes para nos induzir a falsas doutrinas. Contudo, na maioria dos casos, esses carnívoros espirituais defendem doutrinas corretas, pelo menos de maneira superficial, com o objetivo de usá-las para fins predatórios, assim como os filhos de Eli usavam o sistema de sacrifícios orientado pela Bíblia a fim de obterem gordura para o próprio consumo e se deitarem com mulheres no altar (1Sm 2.12-22). Praticamente todas as cartas do Novo Testamento nos advertem quanto ao mesmo fenômeno (2Pe 2; Jd). Por que as coisas são assim se há tanta oportunidade para licenciosidade no mundo? Em outras palavras, por que um predador procuraria um ambiente espiritual? A resposta é a vulnerabilidade. Os predadores espirituais usam esses ambientes como alvo a fim de explorar os fracos e vulneráveis. E, para fazê-lo, incorporam todos os comportamentos exigidos dos cristãos comprometidos. Um predador habilidoso é capaz de imitar o discipulado quando, na verdade, só está "se inteirando da parada", observando os trejeitos, aprendendo as expressões, imitando as convicções.

Com frequência, tais pessoas lançam mão da autoridade, chegando a citar as Escrituras, a ponto de roubar identidades. São lobos atraídos pela inocência e confiança, assim como o sangue humano atrai vampiros.

Todavia, até mesmo em circunstâncias menos terríveis, o poder busca cooptar as palavras de Deus para os próprios fins. Acabe nasceu para ser rei e Jezabel para ser rainha, mas, em um sentido muitíssimo real, você também. Afinal, os seres humanos foram criados para servir como governantes que levam a imagem de Deus, sob sua autoridade divina, a todo o cosmo (Gn 1.27). Mas esse domínio seria direcionado pela Palavra de Deus, uma palavra que a serpente emaranhou e distorceu ("Deus realmente disse?"), a fim de tornar os seres humanos, que deveriam dominar a criação, cativos de seu domínio (Gn 3.1). As Escrituras confrontam os reinos que construímos em nossa vida, redirecionando tais reinos para nossos fins. Ainda assim, a tentação sempre é moldar a Palavra de Deus como um profeta da corte, que nos diz exatamente o que queremos ouvir.

Mas a integridade fundamentada na Palavra nos direciona para uma verdade fora de nós, uma verdade que nossos interesses não são capazes de alterar. Em quase todas as culturas, as pessoas têm histórias de experiências xamanistas baseadas em recitar uma palavra secreta ou um código misterioso, em feitiços ou encantamentos. Essa ideia se revela em todo tipo de prática étnica e cerimonial. Mas por quê? Será que o padrão subjacente — a conexão entre Palavra e realidade — é redirecionado e plagiado aqui? Jesus deparou com muitas tentativas xamanistas de canalizar o poder por meio da palavra. Seres demoníacos tentaram usar o nome de Jesus a fim de obter poder sobre ele — e falharam (Mc 1.24). Em vez disso, Jesus os mandava embora com sua própria palavra (Mc 1.25), às vezes fazendo a penetrante pergunta: "Qual é o seu nome?" (Mc 5.9). Além disso, ao nos ensinar a orar, Jesus nos afastou da noção de que palavras mágicas ou repetições vãs eram necessárias para chamar a atenção de Deus (Mt 6.7). Aproximamo-nos de Deus em nome de Jesus, não porque ele seja um talismã desconexo e impessoal, mas porque, na verdade, estamos unidos a Jesus.

Nossas palavras importam porque a Palavra é importante. E a Palavra importa porque todo o universo criado à nossa volta foi originado e sustentado pela Palavra (Jo 1.1), não por uma palavra impessoal que pode ser canalizada e manipulada, mas pela Palavra que se fez carne e habitou entre nós (Jo 1.14). Logo, nas Escrituras, somos abordados pela Palavra de Deus viva, que se torna lâmpada para nossos pés e luz para nosso caminho. Assim, pelo Espírito, exclamamos: "Aba, Pai!" e "Jesus é Senhor!". Elias retornou ao Horebe porque entendia que a integridade de seu Deus estava ligada à integridade de sua Palavra. E estava certo. Mais do que isso: tudo depende da integridade da Palavra.

Muito embora boa parte do universo seja um mistério para nós — e esse mistério só cresce quanto mais aprendemos sobre física e as outras ciências naturais —, não conseguiríamos especular nem tentar entender as leis do universo se este não tivesse integridade, ao menos algum todo coerente que une todas as coisas. De acordo com a visão bíblica da realidade, essa coerência não é, em última instância, uma coisa, tal como as leis da matemática ou da lógica, mas, sim, uma Pessoa. O *Logos* de Deus é Aquele por meio de quem tudo foi criado, e essa Palavra se fez carne e habitou entre nós (Jo 1.1-2,14). Paulo escreveu o seguinte acerca dessa pessoa, o Senhor Jesus Cristo: "Pois, por meio dele, todas as coisas foram criadas, tanto nos céus como na terra, todas as coisas que podemos ver e as que não podemos, como os tronos, reinos, governantes e as autoridades do mundo invisível. Tudo foi criado por meio dele e para ele. Ele existia antes de todas as coisas e mantém tudo em harmonia" (Cl 1.16-17).

Em Cristo Jesus, céus e terra se unem, e em união com ele a humanidade fraturada é resumida em um "novo homem", retratado na igreja reconciliada com Deus e uns com os outros por meio dele. Quando olhamos para a vasta expansão cósmica da criação, Paulo disse que o mistério dos propósitos de Deus se sintetiza "em Cristo, de fazer convergir nele, na dispensação da plenitude dos tempos, todas as coisas, tanto as do céu como as da terra" (Ef 1.9-10, RA). Não importa o quanto o universo pareça caótico ou aleatório, na verdade é um cosmo organizado, pois foi ordenado em torno de Jesus Cristo, por meio dele e nele. A Palavra de Deus revelada aponta para ele e, então, pelo Espírito, "re-integra" nossa vida à sua volta.

Precisamos reconhecer que quase todas as coisas criadas por Deus podem ser distorcidas para propósitos sombrios pelo mundo, pela carne e pelo diabo. Isso inclui a obediência à autoridade. O psicólogo social Stanley Milgram se aprofundou em um desses aspectos nos experimentos que realizou, revelando que as pessoas cometeriam atos que consideram imorais ou antiéticos, contanto que a responsabilidade ficasse dispersa pelo grupo ou fosse atribuída à figura de autoridade, em vez de receberem a culpa pelo ato. "Uma proporção substancial de pessoas faz o que é mandado, a despeito do conteúdo do ato e sem limitações de consciência, desde que identifiquem que a ordem provém de uma autoridade legítima."[5] Essa corrupção se estende em inúmeras direções, e, em vários aspectos, a "religião" é um exemplo clássico.

Em nosso contexto atual, muitos se dizem contrários à insistência dos cristãos e de outros de que a verdade é objetiva e não relativa. Até certo ponto, porém, as pessoas estão certas na objeção à arrogância de alguns cristãos em suas próprias percepções da verdade, quando as Escrituras em si nos orientam a manter a humildade, uma vez que "vemos de modo imperfeito, como um reflexo no espelho" (1Co 13.12). Na realidade, porém, a maior objeção das pessoas em relação aos cristãos não é o fato de nos apegarmos com intensidade excessiva a uma verdade externa a nós, mas, sim, de não fazermos isso de maneira alguma.

Lembro-me com frequência de uma conversa com um católico romano sobre as revelações de abuso sexual que estavam vindo a público tanto na denominação dele quanto na minha. Ele me segredou que estava pensando em parar de frequentar a missa. "Não tenho dúvidas de que os ensinos de minha igreja são verdadeiros", disse ele. "Minha dúvida é se minha igreja acredita na veracidade daquilo que ela mesma ensina." A suspeita que aquele homem tinha era de que a "verdade" em seu contexto era serva do poder, não o contrário. Independentemente da precisão ou inadequação dessa hipótese, é uma questão que se recusa a desaparecer, pois o que está em jogo é importante demais.

Não raro, ouvimos pessoas religiosas denunciarem a espiritualidade individualista do tipo "faça você mesmo", ou seja, gente que se define como "espiritual, mas não religioso". Claro, há muito a se criticar, com todo tipo de influência cultural que conduz a essa espiritualidade separada da igreja e reducionista do evangelho. Mas talvez a cultura ocidental instigadora da secularização e do individualismo não seja a única culpada. É possível que a religião também tenha responsabilidade, em aspectos que, com demasiada frequência, acabamos nos recusando a analisar.

O cientista político Eitan Hersh, ao criticar o "*hobbysmo* político" em meio aos indivíduos de sua tribo ideológica, observa uma dinâmica semelhante em ação na religião. Ao constatar os muitos abusos de poder realizados pelo clero, Hersh teoriza que muitas pessoas estão intencionalmente em busca de religiões "deliberadamente desprovidas de poder", que "rejeitam o poder da comunidade e, assim, evitam se queimar".[6] É claro que isso não alcança o objetivo — conforme revela um exame de todas as formas de abusos de poder praticadas também por gurus e seitas pouco hierárquicas. Mas tal dinâmica deveria levar as comunidades religiosas a se perguntarem o que em nós faz que tantos busquem essas espiritualidades deliberadamente desprovidas de poder. Para muitos, talvez, seja exatamente o que dizemos ser: o ímpeto moderno por autonomia. Para outros tantos, porém, é possível que a rejeição não seja ao tipo de comunidade descrito por Jesus, mas, sim, às instituições predadoras e vorazes que lhes causaram dano, tudo isso em nome de Jesus.

No romance gráfico da década de 1980 *Watchmen*, de Alan Moore e Dave Gibbons, um aspecto central da trama era o plano do gênio maligno Adrian Veidt de falsificar um ataque a Nova York por uma lula alienígena sobrenatural, o qual resultaria na morte de metade da população da cidade. O motivo para esse plano manipulador era forçar os Estados Unidos e a União Soviética a recuarem do Armagedom nuclear iminente, unindo-se contra uma ameaça em comum.[7] É claro que ainda não chegamos ao ponto de ser atacados por uma lula extraterrestre, mas, com frequência, a "verdade" é mobilizada para fins semelhantes.

Quando comecei a lecionar no seminário de teologia, fiquei surpreso ao descobrir quantos dos estudantes conheciam teologia, mas só no que dizia respeito às controvérsias do momento. É claro que, até certo ponto, as coisas sempre foram assim. O erro força a igreja a estudar, como nos debates sobre cristologia e Trindade nos primeiros séculos, no intuito de esclarecer aquilo em que se acredita. Para alguns daqueles alunos, porém, essa atitude parecia menos ligada a buscar clareza por meio do debate do que à empolgação de deixar claro de que lado eles se posicionavam no conflito. Alguns chegavam a parecer entediados pelas verdades bíblicas, doutrinárias ou práticas que não podiam ser contendidas em debates contra os outros. Esse é o espírito de nossa era.

Não importa em que ponto do espectro ideológico ou religioso a pessoa se encontra, espera-se que ela use determinada linguagem, concorde com certos "fatos" e esteja disposta a descartar os fatos e as convicções tão logo eles se tornem menos úteis para seu próprio "lado" do que para o outro. A "verdade" é um aspecto do poder, com o objetivo de arregimentar unidade contra um inimigo em comum. Contudo, assim como no universo de *Watchmen*, essa unidade dura pouco. Tão logo as pessoas percebem que foram motivadas por algo que não é verdadeiro, o resultado é uma combinação incendiária de cinismo, niilismo e raiva fervente — misturada ao medo paralisante.

Pense em como as culturas globais e até mesmo sua própria psique foram alteradas pela ascensão de uma infraestrutura em constante mudança de redes sociais. Todos sabemos que essas plataformas amplificam as vozes dos chamados "*trolls*", almas profundamente feridas que buscam essas aberturas para dar vazão a seus demônios interiores com muita raiva.

Mas os pesquisadores constataram que as redes sociais não só dão voz a esses *trolls*, mas também estão tornando cada um de nós que é influenciado por elas um pouco mais semelhantes aos *trolls*: radicais e irritadiços em nossa forma de nos comunicar. A fim de demonstrar por que isso acontece, o especialista em tecnologia Jaron Lanier compara a natureza humana à dos lobos, argumentando que cada personalidade tem um modo solitário e um modo de bando.

Quando viramos a chave para o modo de bando, passamos a operar de maneira emergencial, a fim de proteger de ameaças a tribo real ou imaginária. Ele argumenta que esse modo é necessário porque todos conseguimos pensar em momentos nos quais a individualidade deve desaparecer a fim de dar lugar à coletividade mais ampla. Na maior escala possível, imagine se uma bomba nuclear (ou uma lula alienígena gigante) caísse agora bem no meio da Times Square, em Nova York. O país inteiro precisaria se unir, quase como se fosse um organismo vivo, para lidar com a emergência e travar o que, sem dúvida, seria uma guerra de proporções inimagináveis. O mesmo se aplica a uma esfera menor. A mesa do Natal de sua família pode estar repleta de debates e discordâncias, mas se o telefone tocar informando que um sobrinho sofreu ferimentos graves em um acidente de carro, a família precisa se unir e agir coletivamente. Lanier argumenta, porém, que tais ocasiões precisam ser raras e a "chave" deve ser mantida, na maior parte do tempo, no modo "lobo solitário".

"Quando viramos a chave para o modo bando, ficamos obcecados e controlados pela lei do mais forte", escreve Lanier. "Batemos em quem está abaixo de nós para não ser demovidos e fazemos nosso melhor para, ao mesmo tempo, bajular e atacar quem está em cima. Nossos pares se tornam 'aliados' e 'inimigos' tão rapidamente que deixamos de vê-los como indivíduos. Tornam-se arquétipos de uma revista em quadrinhos. A única base constante para uma amizade é o antagonismo compartilhado a outros bandos."[8] É por isso, argumenta Lanier, que o *nonsense* é uma ferramenta bem mais útil para a disseminação de conteúdo "viral" do que a razão, a imaginação ou a verdade. Quando a "verdade" é definida por aquilo que é útil para a construção da identidade de grupo, a aceitação dessa "verdade" não significa que ela está baseada na realidade, mas, sim, que nos torna parte do "bando". Isso é acelerado por muitas formas modernas de meios de comunicação, mas ataca todas elas. Pode acontecer na família, na igreja, no ambiente de trabalho, e em geral não ocorre por pressão aberta para dizer que alguém acredita em algo que não é verdadeiro, mas, sim, por uma espécie de autocensura, de não se permitir pensar em questões desconfortáveis que podem excluir o indivíduo do grupo. Com frequência, esses poderes exigem muito mais que as pessoas mintam para si mesmas do que para os outros.

A romancista Marilynne Robinson escreveu: "A sociedade se move na direção de terreno perigoso quando a verdade é vista como deslealdade a um interesse supostamente maior".[9] Isso é verdade sobretudo quando a lealdade à verdade é considerada deslealdade a uma tribo. Isso pode acontecer em qualquer consciência humana, em qualquer família, em qualquer ambiente de trabalho, em qualquer igreja. A verdade pode se conformar com qualquer estrutura de poder existente, em lugar do contrário. Quando isso acontece, a identidade entra em crise.

Por anos, muitos advertiram contra o "relativismo moral" e os perigos de um eclipse da moralidade objetiva. Tais advertências estavam corretas, e podem ser encontradas hoje praticamente em qualquer lugar, inclusive na retórica de alguns que passaram a vida advertindo acerca do relativismo moral. Observe como hoje, dentro e fora da igreja, as pessoas denunciam em alta voz a má conduta de seus adversários políticos, religiosos e culturais. No entanto, quando o mesmo ato é cometido por um de seus aliados, silenciam-se ou até tentam criar justificativas para o comportamento. Sempre que isso acontecer, pode ter certeza de que tais pessoas não acreditam em moralidade, verdade ou justiça, mas apenas em seus aliados. Acreditam no poder. Acreditam em si mesmas. Esse não é o caminho trilhado por Cristo.

Não devemos acobertar injustiças perigosas pelo desejo de proteger "a causa", qualquer que seja ela. O caminho de Cristo não avança por meio de engano ou hipocrisia, mas pelo testemunho da verdade — mesmo que ela seja feia. Se você cria desculpas para comportamentos predatórios porque o predador é "um de nós", não está defendendo a verdade e ainda corre o risco de sacrificar vidas incontáveis, a despeito da justificativa que crie para si mesmo. Às vezes, é assim que funciona a maioria das controvérsias mais acaloradas. Argumentos acalorados são rebatidos com todos os recursos possíveis, sem levar em conta que os fatos por trás deles são completamente falsos. A questão não é a veracidade dos argumentos, mas somente como eles são usados para provar de que lado cada uma das partes se encontra e aumentar a unidade do grupo.

Na realidade, porém, esse tipo de falta de integridade não é difícil de ser identificado por quem está de fora. Pense, por exemplo, na ampla distorção do cristianismo conhecida como "evangelho da prosperidade", espalhado dos Estados

Unidos para o mundo inteiro. Os pregadores hereges dessa mensagem prometem saúde, riqueza e bem-estar para quem completa a transação de fazer uma oração (e, em geral, dar dinheiro para o pregador), muito embora isso seja exatamente o contrário, em todos os pontos, do que Jesus e seus discípulos ensinaram. Esse "evangelho" percorre o mundo inteiro, condenando almas e esvaziando bolsos ao mesmo tempo. A despeito disso, os porta-vozes daquilo que os apóstolos chamariam de "evangelho diferente" são recebidos como colegas evangélicos por muitos daqueles que alegam proclamar o evangelho, ao mesmo tempo que excluem aqueles que discordam deles em alianças políticas ou estratégias culturais. Esse é o resultado natural de um cristianismo nacional que, muitas vezes, equipara "grandeza" a verdade, novamente em oposição total ao que Jesus e seus apóstolos ensinaram.

No evangelicalismo — movimento de reforma da igreja supostamente comprometido com as Escrituras como a autoridade normativa final e definitiva — impera a falta de letramento bíblico. *Slogans* e *memes* substituem a narrativa e o ensino da Bíblia, por vezes até mesmo por aqueles que alegam estar comprometidos com a inerrância e exposição das Escrituras. Em um movimento populista baseado no apoio da multidão, é muito mais fácil descobrir no que a "base" já acredita e acrescentar textos bíblicos do que trabalhar por décadas para moldar e formatar consciências com a Palavra de Deus. O mundo consegue identificar o que está por trás de tudo isso.

Conforme observou Eudora Welty, o barulho da multidão — qualquer que seja ela — finge acontecer por causa de qualquer "questão" debatida, mas é raro que esse seja o caso. Em vez disso, escreveu, esse barulho é "a mera expressão do eu, o grande, geral e inconsciente eu". E trata-se de um fenômeno efêmero, uma vez que é desprovido de significado, e somente o significado perdura. "Nada jamais foi aprendido em uma multidão, de uma multidão ou se dirigindo a uma multidão, a fim de tentar agradá-la."[10]

Uma geração inteira está observando o que acontece debaixo do nome de religião americana, perguntando-se se há algo verdadeiro nela ou se é apenas mais uma ferramenta útil para manipular as pessoas como gado, eleger aliados e ganhar dinheiro. O cristianismo realmente diz respeito ao Cristo crucificado, indagam-se, ou seria um conjunto de alegações de superioridade étnica, de teorias da conspiração de mau gosto televisionadas, ou de *slogans* políticos? Não é necessário passar muito tempo em um *campus* universitário ou em meio a jovens que cresceram na igreja para entender por que muitos deles rejeitaram o que se denomina "cristianismo". Infelizmente, porém, eles abandonam não só as distorções cínicas, mas o evangelho como um todo.

Para nós que acreditamos na Verdade com "J" maiúsculo (Ef 4.21), essa é uma questão de adoração. Para nós que cremos na doutrina do inferno, é algo com consequências eternas. Só podemos resistir no longo prazo quando sabemos que a vida é mais do que a mera imaginação pessoal ou do que a imaginação de outro para nós. Apenas assim é possível deitarmos à noite e dormirmos tranquilos.

Esse tipo de integridade, porém, não diz respeito apenas a verdades externas — as palavras no monte Horebe ou o texto cheio de autoridade inspirada das Escrituras. Tem a ver com a integridade da mensagem, mas também com a integridade dos mensageiros. O romancista, ensaísta e poeta Wendell Berry disse que um dos fatores que leva à desintegração de comunidades e pessoas é a perda daqueles dispostos a "manter a própria palavra", prática que, segundo sua definição, incluiria tanto *fidelidade* quanto *sinceridade*. Isso significa o reconhecimento de uma autoridade verdadeira fora das manipulações pessoais e a disposição em prestar contas por essa palavra e ter a vida conformada por ela. Em suma, significa defender a própria palavra e ter palavras que podem ser defendidas.[11] Quando Elias orou pela ressurreição do filho da viúva, morte pela qual ela culpou o profeta, o filho voltou a viver. A resposta da viúva foi reveladora: "Agora tenho certeza de que você é um homem de Deus, e de que o SENHOR verdadeiramente fala por seu intermédio!" (1Rs 17.24). As duas partes dessa frase são importantes. E são tão importantes em nosso tempo e lugar quanto eram no Oriente Médio antigo. A Palavra de Deus não depende da integridade dos vasos que a transmitem, e essa é uma boa notícia!

Lembro-me do quanto fiquei abalado da primeira vez que um pregador que eu admirava foi exposto por ter uma vida dupla e trair a esposa repetidas vezes. Gostaria que esse sentimento tivesse ido embora, mas ele voltou a aparecer quando outras pessoas que eu admirava demonstraram ter uma vida igualmente dupla, de diferentes maneiras: com um temperamento explosivo, um casamento emocionalmente abusivo ou o hábito compulsivo de mentir, em lugar de um pecado sexual. Talvez isso tenha acontecido com você ao descobrir os problemas de quem o batizou ou o ajudou a superar uma depressão profunda. Quem sabe você se pergunte se isso significa que tudo que aprendeu com aquela pessoa é tão fraudulento quanto ela demonstrou ser. Não necessariamente. Sem dúvida, no primeiro século, houve pessoas que ouviram falar do evangelho pela primeira vez da boca de Judas Iscariotes. Após esse discípulo trair o Mestre e se suicidar, tais indivíduos podem ter se perguntado se sua fé também não seria uma farsa. Caso, porém, tenham aceitado a fé, não aceitaram a Judas, mas, sim, a mensagem que ele pregou, e essa mensagem permanece firme a despeito das intenções do mensageiro (Fp 1.15-18).

Isso não significa, porém, que a integridade das testemunhas da Palavra é desprovida de importância. Aliás, Jesus disse que o mundo enxergaria a autenticidade — a integridade — de sua mensagem com base no amor que seus seguidores teriam uns pelos outros (Jo 13.35), e a falta desse tipo de autenticidade leva nações a rejeitarem o próprio Deus (Rm 2.24). Além disso, Jesus criticou o procedimento dos líderes religiosos de sua época, que apontavam para uma revelação verdadeira — a Palavra entregue por Deus a Moisés no monte Horebe — com uma vida particular em divergência dessa mesma Palavra (Mt 23.2; Mc 7.11-12). Isso está em total conformidade com os antigos profetas, que diziam o mesmo acerca da adoração do povo a Deus, adoração que era rejeitada porque a vida dos adoradores demonstrava que não criam nas palavras que proferiam (Is 1.12-17). Trata-se de uma crise constante, em todas as eras.

Por exemplo, uma pesquisa recente sobre o consumo de pornografia por homens evangélicos conservadores descobriu uma diferença crucial entre a interação desse grupo com o conteúdo sexualmente explícito e a interação dos demais, a saber, que os homens cristãos ao mesmo tempo rejeitavam moralmente a pornografia e a consumiam pessoalmente. O pesquisador descreveu essa tendência como uma condição persistente de "incongruência moral" entre aquilo que os homens imaginavam acreditar e como de fato viviam.[12]

Falar em "congruência" é apropriado. Ao descrever o respeito que tinha pela integridade de uma pessoa que admirava, Eugene Peterson definiu que a vida do homem era "congruente", ou seja, "não havia descompasso entre suas palavras e sua maneira de viver". Escreveu: "A vida cristã é a prática constante de prestar atenção aos detalhes da congruência — congruência entre os fins e os meios, congruência entre o que fazemos e como fazemos, congruência entre o que está escrito na Bíblia e como colocamos em prática o que está escrito, congruência entre o navio e sua proa, congruência entre pregação e vida, congruência entre o sermão e aquilo que o pregador e a congregação vivem, congruência entre a Palavra que se fez carne em Jesus e aquilo que vivemos em nossa carne".[13] Tal congruência não é alcançada nesta vida, mas devemos aspirar a ela e é para essa direção que o Espírito guia. Isso acontece porque a congruência não deve ser voltada para um código moral abstrato, nem para um conjunto de princípios, mas, sim, para uma vida específica: a vida do próprio Cristo. O objetivo de Deus para os seres humanos é que se tornem "semelhantes à imagem de seu Filho, a fim de que ele fosse o primeiro entre muitos irmãos" (Rm 8.29). Isso tem tudo a ver com a coragem de vivenciar o próprio chamado.

Esse tipo de congruência é mais difícil do que parece. Jesus ordenou que nosso sim seja sim e nosso não seja não. Em outras palavras, precisamos envidar esforços para que nossas palavras sejam congruentes com as intenções e os pensamentos. Ao refletir sobre os prejuízos morais sofridos por sua terra natal, a Tchecoslováquia sob o domínio comunista, o dramaturgo dissidente (e depois presidente) Václav Havel escreveu: "Adoecemos moralmente porque nos acostumamos a dizer coisas diferentes do que pensávamos".[14] Nesse caso, a incongruência entre fala e pensamento se devia, em grande medida, a ameaças externas: as autoridades e a polícia secreta vigiavam em busca de qualquer sinal de rebelião, de modo que as pessoas aprenderam a falar apenas papagaiando o que se esperava delas. Para a maioria, porém, a perda de congruência acontece com uma participação mais voluntária no abalo da integridade.

Isso ocorre porque a pressão para se conformar se manifesta não só naquilo que classificaríamos como pressão aberta. Conforme explicou um pesquisador da área jurídica, boa parte do que captamos de outras pessoas vem de pistas acerca do "que você deve fazer e dizer se deseja permanecer aceito".[15] Na maior parte das vezes, o resultado não se assemelha ao que chamaríamos de hipocrisia. "Mesmo que, em seu âmago, você discorde, é capaz de permanecer em silêncio ou até mesmo de concordar na presença dos outros", afirma o pesquisador, ao se referir à pressão da multidão para que o indivíduo se adeque. "Assim que você faz isso, começa a mudar internamente. Passa a agir e até a pensar como os outros."[16]

O sociólogo Peter Berger observou essa dinâmica em funcionamento na época dos debates sobre segregação racial no sul regido pelas leis de Jim Crow. Muitos observaram que vários pastores e líderes brancos — mesmo que reconhecessem em particular sua convicção de que o racismo era errado — não diziam nada ou até se posicionavam ao lado das forças da supremacia branca. Por que isso acontecia? Berger demonstrou que as igrejas com pastores que assumiam um posicionamento "impopular" acerca dessa injustiça sofriam de imediato nos âmbitos de "sucesso" (número de membros e finanças). Aqueles que estavam em busca de mais membros (e quem não está?) ou em processo de construção não podiam deixar de notar o "preço" que se pagava por falar de tais assuntos.

Berger argumenta que, em muitos casos, não era que os ministros perdessem a discussão com membros racistas, mas, sim, que evitavam conflitos, basicamente "convencendo-se" dos pontos de vista da maioria ao seu redor. "Por isso, os pastores podem estar sendo perfeitamente sinceros ao dizer que sempre seguiram os ditames de sua consciência", escreveu Berger. "As forças sociais da situação já haviam se preparado para que essa consciência fosse formada de tal modo a permanecer inócua."[17] Essa forma de "religião social" que condiciona o púlpito indicava uma crise do cristianismo. "Se Deus é a verdade, ele não deixa em paz aquele que deseja intensamente a verdade", escreveu. "No fim das contas, verdade cristã e integridade humana não podem ser contraditórias."[18]

Infelizmente, essa crise de consciências socialmente condicionadas, até mesmo no púlpito, não desapareceu com o fim da segregação em escolas e restaurantes, mas persiste até hoje. Aliás, de uma forma ou de outra, essa crise existe em todas as gerações, uma vez que está no cerne de uma advertência de Jesus a nós: "Fiquem atentos! Tenham cuidado com o fermento dos fariseus e de Herodes" (Mc 8.15). O cerne da questão era o "fermento", que Jesus já havia usado em outra passagem como analogia do reino de Deus. O fermento atua sob a superfície e de maneira invisível. Jesus identificou esse "fermento" tanto com Herodes (poder ou posição cívico-política) quanto com os "fariseus" (cumprimento das leis religiosas que parece ortodoxo).

Muito do que mobiliza emocionalmente a igreja americana do século 21 não está ligado à vida, doutrina ou missão cristã, mas ao "cristianismo" como conjunto de valores atacado por outros. Quer alguém tente adequar o cristianismo à cultura dominante, quer procure atacá-la conformando o cristianismo aos valores tribais de uma subcultura "cristã", o resultado final é o mesmo: exaustão. É difícil manter todas as concessões que somos chamados a fazer.

Afinal, os valores que necessitam ser afirmados a fim de ser "um de nós" hoje podem ser irrelevantes ano que vem. As degradações culturais que devem ser denunciadas em alta voz junto com o restante do rebanho em um momento se tornam aceitáveis no seguinte, dependendo apenas da personalidade, dos pecados de estimação e das injustiças do "lado" de cada um no momento. Aquilo que é considerado vigiar os muros da retidão em determinado ano pode muito bem ser taxado de hipocrisia ou elitismo moral no ano seguinte. E, em meio a tudo isso, sempre há pessoas prestando atenção. Não importa o quanto você tente dizer para si mesmo e para os outros que está comprometido com a verdade e a autoridade, quem se dá ao trabalho de observar as inconsistências ao longo do tempo perceberá que você jamais teve convicção, mas tão somente ambição. E sua psique mais profunda verá isso também. Esse tipo de vida, além de artificial e desprovido de autenticidade, é exaustivo.

A Sexta-feira Santa está no calendário cristão como advertência constante da tentação persistente do poder ilusório. Afinal, a cruz aconteceu ao fim de uma série de decisões, o ponto derradeiro de diversas concessões na integridade e de inúmeras buscas por *status* político. Herodes queria demonstrar lealdade a César. Pilatos não queria arriscar a desaprovação popular. Muitos do povo queriam Barrabás, líder da resistência disposto a lutar, em lugar daquele cujo reino não é deste mundo. O estado romano colocou vestes "reais" falsas em Jesus a fim de zombar dele. Os observadores ridicularizaram o apelo de Jesus ao Pai, convictos de que ele fora amaldiçoado por Deus e, por isso, não tinha poder algum. Ainda assim, no momento de humilhação, fraqueza e isolamento, a cruz revelou o poder e a sabedoria de Deus. A luta darwiniana para ver quem é o mais forte, mais ameaçador ou mais impressionante é, aqui e agora, um caminho que leva à morte. É o caminho da cruz que conduz ao lar.

Pouco antes de Deus permanecer em silêncio por quatrocentos anos antes da vinda de Cristo, ele falou por intermédio do profeta Malaquias, mais uma vez unindo Elias e o Horebe. "Lembrem-se da Lei do meu servo Moisés, dos decretos e das ordenanças que lhe dei em Horebe para todo o povo de Israel", Deus disse. "Vejam, eu enviarei a vocês o profeta Elias antes do grande e temível dia do SENHOR. Ele fará com que os corações dos pais se voltem para seus filhos, e os corações dos filhos para seus pais" (Ml 4.4-6, NVI). Em outras palavras, no fim, Deus conformará a integridade de seu povo à integridade de sua Palavra. E isso acontecerá por meio de uma crise cataclísmica.

Tal crise, porém, não está reservada apenas para o futuro. Ela já chega até nós em Cristo. Então como encontrar integridade? Parte disso acontece no processo lento e gradual de uma vida disciplinada pela Palavra de Deus. Com frequência, assim como no caso de Elias, a integridade é criada não pela habilidade de "controlar-se", mas exatamente pelo contrário: por meio do tipo de crise que Elias enfrentou a caminho do monte.

No passado, era comum falar em "colapso nervoso". A expressão podia se referir a qualquer coisa, desde um surto psicótico, passando por uma crise de meia-idade, até um dia ruim. É por isso que quase não é usada mais hoje. Mas há algo no vocabulário de entrar em "colapso" que se baseia na realidade. A diferença entre os que se posicionam com coragem e os que tombam em covardia não é que um entra em colapso, ao passo que o outro não. Em determinado momento na vida de praticamente todo mundo, aquilo que antes o indivíduo considerava sólido é abalado e se quebra. E isso pode ser uma boa notícia.

Nossa integridade é formada por hábitos consolidados ao longo de anos e décadas, mas Deus com frequência rompe todas essas práticas e *performances* com um momento de crise — com uma espécie de "colapso", por assim dizer — a fim de nos mostrar que ficamos em pé não com a própria força, mas pela graça. Nesses momentos, Deus faz por nós aquilo que fez por seu povo ao libertá-lo do Egito. Os israelitas haviam chegado à beira do desespero, incapazes de encontrar capacidade de resistir à situação, até que ouviram Moisés dizer: "Não tenham medo. Apenas permaneçam firmes e vejam como o SENHOR os resgatará neste dia. Vocês nunca mais verão os egípcios que estão vendo hoje. O próprio SENHOR lutará por vocês. Fiquem calmos!" (Êx 14.13-14). Até mesmo os não religiosos já tiveram esse tipo de experiência, de encontrar coragem em um lugar que, nas palavras de um especialista em liderança, está "além da esperança e do medo".[19] Isso significa abrir mão da expectativa de predizer resultados visíveis baseados nas próprias habilidades e simplesmente prosseguir rumo à tarefa a ser realizada. Certo consultor administrativo descreveu tais momentos como "a zona neutra", na qual as pessoas olham para trás e se dão conta de que, muito embora não soubessem o que estava acontecendo na época, sua vida estava sendo redirecionada rumo a uma transição.[20]

Muitas vezes, isso dá a sensação de um fim — como abrir mão de um sonho — quando, na verdade, é a ruptura de um torpor em relação a coisas às quais a pessoa deveria prestar atenção cuidadosa e que apontam o caminho adiante. Aliás, o que ocorre é o colapso do *status quo*. Se não vivenciarmos esses momentos, talvez jamais encontremos integridade ou coragem genuínas, pois colocaremos essas coisas onde não conseguem "se firmar" de maneira alguma, isto é, na autoconfiança e na autossuficiência.

O que vemos aqui é algo semelhante ao fenômeno que os especialistas enxergam ao estudar crianças "resilientes" e aparentemente invulneráveis, que lidam bem com circunstâncias difíceis. Com frequência, essas crianças super-resilientes desabam na meia-idade. A criança precisa enfrentar as crises da infância — não só se esconder por trás do desejo de agradar os outros ou ter um comportamento impecável para pais exigentes — a fim de saber transitar pelas crises que virão depois.[21] Integridade não diz respeito apenas a "ficar firme", mas também a se quebrar do jeito certo — e depois voltar a se erguer.

No deserto, Deus adequou a vida de Elias a suas palavras. Ele fará o mesmo por você e por mim. E ele o faz nos levando a encontrar nossa integridade não em nossa vontade e em nossos atos, mas na verdade sobre a qual nos erguemos. No fim, não importa se você recebeu o nome de Elias ou de Jezabel. A verdade está fora de você e é capaz de conformar sua vida a essa verdade, contanto que você não insista em fazer o contrário — adequar a verdade a sua vida.

Nossa integridade só pode se firmar por meio da ruptura de quem pensávamos ser, do abalo daquilo que imaginávamos saber. Somos o paciente, não o médico. E o prontuário que seguramos nas mãos é o nosso mesmo.

Que Deus nos ajude.

5
Coragem e vulnerabilidade

....

Poder em meio à fraqueza

Encontrar o deus do trovão dentro do metrô não é algo que acontece todos os dias; então, quando isso ocorreu comigo, tive de observar. O que me chamou a atenção foi a grande tatuagem no braço do homem esquelético e de expressão cansada, sentado ao meu lado. A figura era de um martelo envolto por um relâmpago, que eu conhecia como Mjölnir, o martelo do deus-trovão nórdico Thor.

Presumi que o homem fosse fã do personagem Thor, extraído por Stan Lee da mitologia nórdica para habitar as páginas das revistas em quadrinhos há mais de cinquenta anos. O super-herói Thor ganhou ainda mais força na cultura popular em anos recentes por causa da série bem-sucedida de adaptações da história do personagem para o cinema. Embora eu não costume puxar papo com as pessoas nesse tipo de situação, dessa vez eu o fiz, perguntando se ele era fã do Thor. O homem respondeu que, na verdade, a tatuagem era de Mjölnir e se mostrou incomodado por eu tê-la confundido com o Thor da fantasia e dos filmes.

— É minha religião — disse ele.

Aí fiquei intrigado, claro, e precisei fazer mais perguntas. Ele me explicou que fazia parte de um pequeno grupo de neopagãos ao redor do mundo que queria revitalizar a adoração aos deuses da antiguidade. Thor era um de seus favoritos. Perguntei o que mais o atraía em Thor. Usando um vocabulário mais crasso do que eu poderia registrar aqui, o homem me explicou que Thor não se deixava ser mandado por ninguém.

— Nossa religião não é uma religião de fraqueza. Thor representa força e poder. É um vencedor.

Pensei por um instante e disse:

— Acho que não poderia haver algo mais oposto ao martelo de Thor do que a cruz de Cristo.

Ele me olhou de volta e respondeu:

— Exatamente. Essa é a questão.

Passei o restante do dia tentando imaginar a vida daquele homem. Apesar da tatuagem, ele não parecia particularmente forte ou intimidante. Aliás, tudo indicava, por sua maneira de evitar contato visual e ficar olhando em volta com nervosismo, que ele sofreu *bullying* na infância ou adolescência. A religião da qual era adepto provavelmente não era vivenciada como parte de uma comunidade. Dificilmente há uma "Igreja de Asgard" na cidade dele, que se reúne todas as quintas. Em vez disso, ele deve ter encontrado sua "comunidade" neopagã por meio de contato virtual com outros adoradores aleatórios, quem sabe até mesmo como parte de uma das organizações de supremacia branca que tentam fazer dos deuses antigos seus mascotes. Ele não me parecia uma ameaça pagã à fé, apenas um garoto assustado. E deve ter sido por isso mesmo que se sentiu atraído por Thor.

Ele imaginava que o poder daquele deus poderia ser canalizado para dentro dele, como um raio mágico passando por dentro de um martelo. O martelo de Thor poderia esmagar seus temores e o ribombar do trovão sufocaria os sons que o assustavam à noite. Nesse sentido, aquele jovem não era muito diferente da maioria das pessoas. Até mesmo ao rejeitar o cristianismo ele parecia entender mais sobre a cruz do que muitos cristãos. Entendeu de primeira aquilo que o mundo inteiro, no império romano do primeiro século, reconheceu como o escândalo de Jesus: ele foi crucificado. Isso significava ser derrotado por seus inimigos, dominado pelo império. Não é assim que um deus deve agir. Não é assim que um herói deve agir. Não é assim que um mortal corajoso deve agir. E, conforme aquele estranho no metrô expressou, essa é a questão!

Não pude deixar de pensar, enquanto saía do trem, em Jesus logo após a entrada triunfal em Jerusalém. "Agora minha alma está angustiada", disse Jesus. "Acaso devo orar 'Pai, salva-me desta hora'? Mas foi exatamente por esse motivo que eu vim! Pai, glorifica teu nome!" (Jo 12.27-28). O mais interessante a esse respeito é que Jesus expressou uma espécie de ansiedade em relação a seu futuro, mesmo enquanto se comprometia mais uma vez a cumprir a missão.

É o mesmo Jesus apresentado como a figura mais plácida dos evangelhos — o homem que permaneceu calmo enquanto os discípulos entravam em pânico à medida que o barco quase virava de cabeça para baixo, o mesmo que ficou impassível quando a multidão exigiu ser alimentada e só havia um pingo de comida disponível. Foi o mesmo Jesus que ensinou seus seguidores a não ficar ansiosos por coisa alguma e a não temer. E aqui o encontramos perturbado no âmago de sua alma.

Contudo, enquanto clamava em angústia, Jesus falou sobre a derrota do príncipe desta era e de seu poder como aquele que é "levantado da terra", imagem que aponta não para sua fama ou força, mas para sua crucificação iminente (Jo 12.32-33).

E essa ideia era incômoda para todos à sua volta. Afinal, ele deveria ser o Messias, o rei libertador, que viria e permanceria para sempre. Contudo, ao falar dessa hora de impotência que se aproximava, Deus a reafirmou com sua própria voz do céu. As multidões, embora alegassem ansiar por ouvir uma mensagem da parte do Senhor, não conseguiram entender tal mensagem nesse contexto — o contexto de uma cruz frágil.

João conta: "Quando a multidão ouviu a voz, alguns pensaram que era um trovão" (Jo 12.29). Administraram os próprios temores convencendo-se de que o barulho que ouviram era um mero fenômeno natural. Sem dúvida, alguém disse para quem estava ao lado: "Ouviu isso? Foi só um trovão, não foi?". O trovão foi uma escolha interessante, é claro, pois raios e trovões estão entre os aspectos mais aterrorizantes da ordem natural. Trazem consigo aquilo que é necessário para a vida e o bem-estar — a chuva para as plantações — e impõem medo com seu potencial para o perigo de morte, lembrando que a natureza dá vida, mas também pode matar. Desde os tempos mais remotos, os seres humanos identificam as tempestades como mensagens enviadas pelos deuses. Aqui as pessoas traduziram uma mensagem da parte de Deus como uma tempestade.

Thor, é claro, não foi o primeiro deus da tempestade. Esses mitos diferiam em vários aspectos, mas o tema comum que une todos é o poder. O deus da tempestade é um deus poderoso o bastante para se defender de qualquer inimigo ou ameaça, além de ser capaz de conceder a chuva necessária para a prosperidade. Não é de se espantar, então, que em lugares tão cultural e geograficamente distintos como Noruega e Nigéria, Polinésia e Mesopotâmia, um deus-trovão sempre se faça presente. O mundo do antigo Israel não era diferente.

Baal era o deus das tempestades, da chuva e do céu noturno repleto de raios e trovões. Sua consorte Aserá era a deusa da fertilidade. Acreditava-se que apaziguar os deuses com adoração era necessário para ter comida na mesa e impedir que coisas terríveis acontecessem.

Qualquer um que já passou fome (a minoria de nós) consegue entender esse medo do futuro. E qualquer um que já se escondeu em um porão durante um tornado ou caminhou por um campo aberto enquanto o céu se iluminava com relâmpagos é capaz de compreender esse terror do perigo de morte. Baal e Aserá eram baluartes contra tais temores. Baal era poder, e as pessoas podiam assegurar aquele poder para si. Além disso, porém, a presença de Baal em Israel na época resultava de uma busca por poder. Afinal, é muito provável que eles estivessem na terra de Israel em primeiro lugar por causa de sua utilidade diplomática e política. O casamento de Acabe e Jezabel criou uma trégua delicada entre nações que poderiam representar ameaça uma para a outra.

A mistura dos deuses da terra natal de Jezabel com a herança de Acabe de seus antepassados israelitas provavelmente não correspondia ao pluralismo religioso que encontramos hoje, do tipo "Vamos encontrar a verdade em todas as religiões". Em vez disso, era mais a fusão das duas origens, do rei e da rainha, com o propósito de consolidar o poder político. Além disso, a adoração a Baal era uma religião popular, capaz de refrear o poder da população, mantendo-a unida sob a autoridade do rei. E Baal era a representação do poder.

Antes da crise no deserto, Elias parece ser uma figura de poder e força também. Afinal, é expulso do país não por demonstrar pouco poder, mas poder em excesso. Ele havia humilhado Baal. Primeiro o fez ao reter a chuva, demonstrando que um deus da tempestade incapaz de fazer cair chuva era um fracasso impotente, mesmo em seus próprios termos. Houve então, é claro, o monte Carmelo. Baal deveria ter respondido aos encantamentos, a fim de canalizar seu poder em benefício daqueles que alegavam falar em seu nome. Contudo, ali no monte, ele ficou em silêncio. Parecia nem prestar atenção aos clamores de seus adeptos. Deus, em contrapartida, respondeu de imediato ao pedido de Elias, enviando fogo do céu sobre o altar encharcado que o profeta havia construído. Não só Deus, mas também Elias foi vindicado. Sua zombaria sarcástica a Baal foi certificada. Elias demonstrou que, no momento mais necessário, o deus da chuva e do trovão ficou seco e em silêncio. Foi um repúdio. Então Elias atacou os sacerdotes de Baal e destruiu cada um deles. Ao fazê-lo, humilhou não apenas o deus mítico, mas também um rei de carne e osso. Não sei quantos de vocês já trabalharam com uma pessoa narcisista má de verdade, mas quem teve essa experiência reconhece a reação de imediato. Esse tipo de indivíduo sente repulsa diante da sugestão de que poderia ser fraco ou ineficaz. Quando humilhado, reage com raiva — às vezes com uma ira "quente", revelada por um ataque temperamental, e às vezes com a "frieza" congelante de nutrir ressentimento e esperar para se vingar. Jezabel, humilhada, busca reafirmar seu poder com um profeta morto.

Então as coisas mudaram para Elias. O profeta era cheio de zelo e força. Apesar de estar em menor número e menos armado que a coroa e o trono, estava vencendo. É por isso que se sentiu confuso ao se ver correndo pelo deserto, sem fôlego e com o zelo consumido. No monte Horebe, Deus fez no profeta aquilo que realizara por meio dele no monte Carmelo: arrancou ídolos e se revelou.

Deus mostrou para Elias, antes de mais nada, algo sobre o profeta. A história enfatiza que Elias estava com fome e sede. Chegou a seu destino, o monte Horebe, após ficar quarenta dias e quarenta noites sem comida e sem água (1Rs 19.8). Ele só não morreu porque recebeu cuidados: um anjo desconhecido lhe deu comida e água no deserto, explicando que a nutrição e hidratação seriam necessárias, "do contrário não aguentará a viagem que tem pela frente" (1Rs 19.7). Mais uma vez, essa crise no deserto não foi a primeira vez que Elias recebeu esse tipo de provisão, mas foi uma intensificação da maneira divina de agir.

Após anunciar a seca, por exemplo, Elias sobreviveu porque Deus o conduziu a um ribeiro para beber água e enviou corvos que levavam alimento para o profeta (1Rs 17.4). Tudo indica que, ao fazer isso, Deus estava combinando meios que consideramos "comuns" e "extraordinários" de provisão. Dá para se aproximar de um ribeiro e concluir que é uma mera coincidência. É raro pensarmos muito na origem de cada gole de água que tomamos. Já os corvos foram extraordinários. E, ao alimentarem Elias, o profeta foi lembrado de sua relativa falta de poder. Afinal, os corvos são aves de rapina, do tipo que não voltou para Noé após o dilúvio por causa da carniça que havia disponível para sua alimentação (Gn 8.7). Corvos eram animais impuros, que os israelitas não podiam comer (Dt 14.14), e ainda assim estavam alimentando o profeta. Longe de Deus, Elias era um homem morto.

Além disso, os corvos que alimentaram Elias faziam parte de toda uma rede cósmica de provisão, uma vez que é Deus quem alimenta os corvos. Deus deixou isso claro para Jó, ao destacar o mistério e a maravilha da ordem criada: "Quem providencia alimento para os corvos quando seus filhotes clamam a Deus e, famintos, andam de um lado para o outro?" (Jo 38.41). E, na plenitude do tempo, Jesus relacionaria o cuidado dispensado a nós ao cuidado recebido pelos corvos. Ao passo que a maioria de nós se recorda da frase "Observem as aves do céu", do Evangelho de Mateus (Mt 6.26, NVI), Lucas registra Jesus dizendo: "Observem os corvos. Eles não plantam nem colhem, nem guardam comida em celeiros, pois Deus os alimenta" (Lc 12.24). Jesus estava advertindo contra a ansiedade, ensinando-nos que podemos confiar em Deus. Elias aprendeu que, além de Deus cuidar dos corvos, sua própria vida dependia desse fato. A necessidade de alimento e água mostrou a Elias que ele não podia dar nada como certo. Assim, nas diversas formas de providenciar alimento e água para Elias — pássaros, uma viúva vulnerável, um estranho no caminho —, Deus cuidou do profeta por meios que este jamais poderia alcançar sozinho, com seus próprios esforços. Elias precisava reconhecer que era criatura, não uma máquina ou um deus.

E, em meio a tudo isso, Deus interveio. Impediu Elias de se tornar como Acabe. O problema central de Acabe e Jezabel, bem como dos monarcas idólatras que vieram antes deles, não era, em primeiro lugar, o fato de adorarem ídolos (embora apenas isso já fosse um problema suficiente), mas, sim, o fato de transformarem a si mesmos em ídolos. As imagens e o culto às divindades cananeias eram uma manifestação da crença de que a família real acreditava estar isenta dos mandamentos de Deus. Os anúncios insolentes de ter poder arbitrário sobre a vida e a morte revelavam ainda mais isso. Acabe e Jezabel buscavam eliminar os dissidentes, aqueles que "perturbavam Israel" por falar a verdade. Usaram as alavancas do estado e da religião para destituir um homem mais pobre e vulnerável de sua herança familiar, com o mero objetivo de satisfazer seu apetite por mais.

A tendência aqui é a mesma descrita pelo profeta Ezequiel ao denunciar o príncipe de Tiro, que acreditava ser um deus, não um mero mortal. Deus mostrou o ridículo dessa ilusão na morte do monarca (Ez 28.1-10). De maneira semelhante, no Novo Testamento, Herodes Agripa era bajulado por pessoas (também de Tiro e Sidom) cujo país dependia dele para ter alimento. Depois que fez um discurso, por exemplo, aclamaram: "É a voz de um deus, e não de um homem!". Mas um anjo o feriu com uma enfermidade, conta Lucas, "pois ele não ofereceu a glória a Deus. Foi comido por vermes e morreu" (At 12.22-23). Essa tentação não acomete somente os reis.

Todos nós, no auge da força, enfrentamos o perigo de pensar que essa força é ilimitada e derivada de nós mesmos. Para aqueles que não pertencem a Deus, com frequência essa ilusão continua até a morte lhes mostrar, tarde demais, que não são os "vencedores" que imaginavam ser. Deus, porém, faz questão de levar os que pertencem a ele a reconhecer nossa condição de criaturas, nossa dependência dele para viver, respirar e existir. Isso faz parte do que Deus realizou por Elias no deserto.

É por isso que a história de Elias em 1Reis é repleta de pistas narrativas que conduzem leitores e ouvintes para outras histórias. Elias faz a viagem do êxodo de trás para a frente, pelo Jordão até o Horebe. E, depois de ser alimentado e hidratado de maneira extraordinária por Deus, ele caminha "quarenta dias e quarenta noites" (1Rs 19.8). Os antigos israelitas, enquanto peregrinavam em seu próprio deserto, tanto enfrentaram a fome extrema — que os levou a reclamar dizendo que estavam melhor no Egito, onde pelo menos tinham comida — quanto foram alimentados por Deus. O cuidado divino foi revelado por eles de maneiras consideradas "normais" — talvez não tivessem notado, até Deus chamar a atenção para o fato, que suas roupas e até seus pés não se desgastaram ao longo de quarenta anos de peregrinação (Dt 8.4) — e de formas que só podem ser descritas como milagrosas, por exemplo, o maná que caía do céu (Dt 8.3).

Tudo isso, porém, tanto a fome quanto o sustento, tinha o propósito divino de discipular o povo com uma finalidade específica: "a fim de lhes ensinar que as pessoas não vivem só de pão, mas de toda palavra que vem da boca do SENHOR" (Dt 8.3). Deus revelou que isso foi necessário por causa do futuro do povo, que entraria em uma terra abençoada. Deus lhes faria bem no fim das contas, mas havia o perigo de que o povo concluísse: "Conquistei toda esta riqueza com minha própria força e capacidade" (Dt 8.17). Fica óbvio que Israel havia esquecido essa parte da história por sua cumplicidade total com a religião da fertilidade que Acabe lhes havia apresentado. Mas Deus estava tomando todas as providências para que isso não acontecesse com Elias também.

Durante o sustento no deserto, Deus demonstrou não só que Elias não deveria agir como Acabe, mas também que Deus não era nada como Baal. Sim, acreditava-se que ambos eram necessários para a chuva, as plantações e a fertilidade, mas Deus não era e continua a não ser um ídolo da prosperidade. Não era um meio para um fim. Observe como os adoradores de Baal apelaram a ele no monte Carmelo. Clamaram da manhã ao meio-dia: "Ó Baal, responde-nos!" (1Rs 18.26). Depois que Elias zombou deles por causa do silêncio com o qual suas súplicas foram recebidas, eles "gritaram mais alto e, como era seu costume, cortaram-se com facas e espadas, até sangrarem" (1Rs 18.28). Embora insistissem em continuar, o texto diz: "mas não houve sequer um som, nem resposta ou reação alguma" (1Rs 18.29). O deus da provisão foi repudiado, nos termos dos próprios adoradores.

Boa parte disso, porém, aconteceu exatamente por causa da função que Baal desempenhava; ele não era um Ser transcendente, mas uma ferramenta. Eles achavam que poderiam chamar a atenção da divindade com a altura dos gritos, com o frenesi da dança ou até mesmo com o derramamento do próprio sangue, uma vez que ele era tão transacional quanto seus adoradores. Foi exatamente contra isso que Jesus advertiu, ao dizer que não devemos nos aproximar de Deus com "frases vazias" (ou, como nas versões antigas, "vãs repetições"), como fazem as nações do mundo, pois "acham que, se repetirem as palavras várias vezes, suas orações serão respondidas" (Mt 6.7). Em vez disso, Jesus ensinou seus seguidores a chamar Deus de Pai, falando a ele como a alguém que já sabe do que necessitamos antes de nós mesmos, com um apelo simples: "Dá-nos hoje o pão para este dia" (Mt 6.11).

É exatamente essa a diferença entre Elias e os profetas de Baal, entre Elias e a família real. Mais uma vez, temos a tentação de ver a pirotecnia da vida de Elias como se ele fosse praticamente outra espécie, diferente da nossa. Mas não é esse o caso. Aliás, Tiago, irmão de Jesus, escreveu para as igrejas do primeiro século que elas não deveriam enfatizar suas diferenças em relação a Elias, mas, sim, suas semelhanças: "Elias era humano como nós e, no entanto, quando orou insistentemente para que não caísse chuva, não choveu durante três anos e meio. Então ele orou outra vez e o céu enviou chuva, e a terra começou a produzir suas colheitas" (Tg 5.17-18). Temos exatamente o mesmo acesso ao "poder" que Elias tinha, e isso porque ele não tinha poder algum em si mesmo. Ele tinha a oração, um apelo a Deus por provisão e livramento. Assim como você.

Da mesma maneira que nós, porém, Elias também era propenso a se esquecer de que podia contar com isso, a despeito de quantas vezes ou maneiras — por meio de corvos, de uma viúva estrangeira, de um anjo ao lado do caminho — Deus já o sustentara. Até mesmo nessa situação vemos a diferença entre Deus e Baal. Deus não é subserviente a seus profetas, como se seus atos dependessem de alguma forma secreta de manipulação. Caso fosse, de fato, o "Deus de Elias" nesse sentido, então Elias teria morrido quando lhe pediu a morte. Deus faz contraste absoluto com Baal, tanto em sua forma de agir quanto na adoração que requer. E isso, claro, está ligado a poder.

Definir Deus em termos de poder leva exatamente para o tipo de mentalidade encontrado no culto popular a Baal. E essa mentalidade não acabou quando desceu fogo do céu. Ela continua viva hoje, embora receba nomes diferentes. É por isso que argumento há anos que o "evangelho da prosperidade" não é uma ramificação do cristianismo histórico, nem um movimento religioso novo. O "evangelho da prosperidade" é um movimento de reavivamento — reavivamento do antigo culto cananeu da fertilidade. Não é o evangelho de Jesus Cristo; é feitiçaria.

O "evangelho da prosperidade" é um esquema em pirâmide — tanto no sentido egípcio antigo dos faraós quanto no sentido moderno de *marketing* — e os charlatães que o disseminam contam com aqueles que são considerados parte da herança do cristianismo histórico para sancioná-los a fim de que possam destruir cada vez mais vidas. Muitos se mostram dispostos a fazer isso, no intuito de receber benefícios carnais em troca, incluindo os grandes números e a mobilização política que tal coalizão de lunáticos e hereges é capaz de oferecer. O resultado final é mais cinismo para aqueles que não são completamente desesperados ou ingênuos, e o inferno para quem cai nas garras dessa falsidade. Esse tipo de "cristianismo" é o caminho de Acabe e Jezabel, não de Jesus e Elias. E acaba no mesmo lugar que Acabe e Jezabel: desacreditado, desmantelado e destroçado por cães.

No entanto, essa tendência pertence não só àqueles que buscam roubar o dinheiro ou o voto de inocentes, usando Jesus como o mascote indisputado e inquestionável, mas também é uma tentação sempre presente para cada um de nós, a fim de transformar nosso Deus em um ser transacional com quem podemos barganhar: "Prometo que vou ler a Bíblia todos os dias se o Senhor fizer este teste de gravidez dar positivo" (ou negativo, se for o caso). Ou então: "Nunca mais vou gritar com meus filhos de novo se o Senhor me der a promoção para chefe do setor". O Deus de Jesus Cristo não é assim, e essa é uma boa notícia para todos nós. Afinal, mais cedo ou mais tarde, qualquer coisa de "impressionante" que imaginemos ter para oferecer ao mundo ou a Deus vacilará. E, então, quem seremos? No deserto, Elias lamentou o fato de seu zelo — mencionado em uma ladainha daquilo que ele fizera e do que haviam feito com ele — ter terminado em fracasso. Assim, não merecia nada além da morte. A fim de se posicionar na presença de Deus, ele precisa ser recriado, mais uma vez, com a sensação renovada do poder do evangelho.

Isso é necessário para todos nós. O apóstolo Paulo enfrentou uma enxurrada de acusações contra ele, feitas por críticos das igrejas do primeiro século. Primeiro temeram o apóstolo porque ele era forte demais — era o fariseu "zeloso" a caminho de assassinar os cristãos. Depois, porém, quando ficou claro seu estilo de vida como apóstolo, as acusações mudaram. Paulo não era forte demais, mas fraco e ineficaz. Não impressionava no discurso e na presença. Diante de tudo isso, Paulo se recusou a chamar atenção para suas experiências místicas com Deus, mas, em vez disso, buscou ressaltar as derrotas consistentes que sofrera: perseguido para fora da cidade, preso, naufragado, abandonado, traído, contrariado e até mesmo assolado por um misterioso "espinho na carne" que Deus se recusou a remover. Mas Paulo testemunhou o que Deus lhe dissera: "Minha graça é tudo de que você precisa. Meu poder opera melhor na fraqueza" (2Co 12.9). Para Paulo, isso reestruturou sua definição de poder e sucesso: "Portanto, agora fico feliz de me orgulhar de minhas fraquezas, para que o poder de Deus opere por meu intermédio. Por isso aceito com prazer fraquezas e insultos, privações, perseguições e aflições que sofro por Cristo. Pois, quando sou fraco, então é que sou forte" (2Co 12.9-10). Se é verdade que a maioria dos cristãos conhece essas palavras, ou, pelo menos, as reconhece, é raro vermos uma mudança radical de orientação com base nelas.

Quando eu era adolescente, era um "bom garoto" seguidor das regras, que jamais se envolvia em confusão na escola, com exceção de uma vez em que fui acusado de colar. Matemática sempre foi a matéria mais difícil para mim, e geometria era um verdadeiro pesadelo. Minha professora me pediu para ficar depois da aula, a fim de me perguntar sobre um código enigmático que havia encontrado em minha prova final, logo abaixo do nome, com as letras "TPNQMF". Corei, horrorizado diante da acusação de colar na prova. Então corei ainda mais ao explicar que aquele não era um código para desvendar as respostas (eu não conseguia sequer imaginar como um emaranhado de letras seria capaz de fazer isso), mas um mero lembrete mental para mim mesmo. Significa "Tudo posso naquele que me fortalece", de Filipenses 4.13. Olhando em retrospecto, porém, percebo que não fazia ideia do real significado desse versículo.

Paulo não estava dizendo que Cristo era uma fonte de poder que as pessoas podiam acessar a fim de ter sucesso ou prosperidade. Na verdade, o argumento era exatamente o oposto. "Digo isto, não por causa da pobreza, porque aprendi a viver contente em toda e qualquer situação", ele escreveu. "Tanto sei estar humilhado como também ser honrado; de tudo e em todas as circunstâncias, já tenho experiência, tanto de fartura como de fome; assim de abundância como de escassez; tudo posso naquele que me fortalece" (Fp 4.11-13, RA). A real aplicação desse versículo não é que, com Jesus ao meu lado, eu consigo fazer tudo — eu consigo passar na prova. Em vez disso, é: "Em Cristo, sei viver como alguém que passa nesta prova ou que é reprovado, como alguém que é homenageado na lista dos melhores alunos ou que está de castigo em casa, como alguém que se forma no ensino médio ou que sai da escola antes de se formar, como vencedor ou derrotado".

Isso é importante para a coragem pois, embora muitos digam que o segredo para reunir coragem está em pensar positivo acerca de si mesmo, das próprias habilidades e do futuro, estudos revelam que, com frequência, o contrário é verdadeiro. O pessimismo não necessariamente leva a uma nebulosidade ranzinza parecida com a do Bisonho, da turma do ursinho Pooh, mas, sim, à reestruturação das próprias expectativas. Se eu não espero uma utopia, percebo que posso atravessar aquilo que temo. Posso sobreviver — não mediante a negação da realidade à minha frente, mas permitindo que ela aponte, em meio às minhas fragilidades e ao desespero, para o Deus que sabe do que necessito. Isso quer dizer que sirvo a um Deus que não me concede tudo aquilo que eu quero (Elias orou para morrer, lembra?), pois está mais do meu lado que eu mesmo. E parte do que preciso é do tipo de confiança nele que só pode acontecer quando me uno a Jesus no sofrimento de carregar a cruz.

É por isso que Paulo reestruturou o conceito de sofrimento na abertura de sua carta aos coríntios. Escreveu que seu sofrimento não era aleatório, nem desprovido de significado, mas, em vez disso, era uma participação nos sofrimentos do próprio Jesus (2Co 1.5). E tais sofrimentos eram o motivo para Paulo ter condições de consolar os outros enquanto sofriam (2Co 1.6-7). Já notou como Deus continua a fazer isso? Quando minha esposa e eu passamos pelo processo de luto que envolve abortos e infertilidade, as pessoas que mais souberam cuidar de nós foram as que haviam sofrido de maneira semelhante. As mulheres mais preparadas para ministrar a grávidas em crise são as que enfrentaram a mesma situação. Muitos sobreviventes ao câncer ou que perderam entes queridos para essa doença são aqueles que recebem o dom de ministrar em alas de oncologia ou salas de espera nos hospitais.

Um dos pastores que mais respeito foi demitido não só de uma, mas de duas congregações localizadas em regiões residenciais ricas, para então plantar uma igreja que começou minúscula em uma sala alugada e cresceu ministrando a pessoas que estavam magoadas, muitas delas excluídas da religião americana. Ouvi esse pastor dizer a seu rebanho: "Relembre o momento da vida em que você se sentiu o pior fracasso e que mais teve vergonha. Jesus não se ausentou nessa ocasião, constrangido por você. Foi nesse momento e lugar que Jesus o segurou com maior ternura". E, ao dizer isso, ele tinha a credibilidade de ser alguém que não só conhecia essa verdade, como a tinha experimentado na própria vida.

A alternância entre provisão e privação da parte de Deus tem o objetivo de afastar nossas mãos dos ídolos da prosperidade, aos quais todos nos sentimos atraídos. "Irmãos, queremos que saibam das aflições pelas quais passamos na província da Ásia", escreveu Paulo. "Fomos esmagados e oprimidos além da nossa capacidade de suportar, e pensamos que não sobreviveríamos. De fato, esperávamos morrer. Mas, como resultado, deixamos de confiar em nós mesmos e aprendemos a confiar somente em Deus, que ressuscita os mortos. Ele nos livrou do perigo mortal, e nos livrará outra vez. Nele depositamos nossa esperança, e ele continuará a nos livrar" (2Co 1.8-10). Tais palavras são consternadoras. Todos nós — não importa quão fortes ou bem-sucedidos — nos dirigimos ao fracasso final. Afinal, conforme o economista John Maynard Keynes disse certa vez: "No longo prazo, todos estaremos mortos".

Em algum momento, você estará acamado, resfolegando em busca de ar. E chegará a hora em que verá o monitor cardíaco a seu lado subindo e descendo na tela. Não haverá nada que você possa fazer a esse respeito. A única coisa será depender de um poder externo a você mesmo, um poder encontrado no Cristo crucificado e ressurreto, o único capaz de erguê-lo do túmulo para uma nova criação. Seus recursos pessoais jamais serão suficientes. Entre aqui e a eternidade, Deus estava preparando você para esse momento. Ele o faz lhe dando aquilo de que você precisa, levando-o a sentir sua necessidade, a ficar faminto e sedento pela justiça que jamais pode se originar de si mesmo.

Ao redefinir o mensageiro, Deus também redefine para nós a mensagem. Sem dúvida, Elias exibiu a linguagem que

Paulo usou acima, alguém que estava sentenciado à morte e no fim dos próprios recursos. Mas foi indo aonde Deus o conduziu que ele conseguiu enxergar com maior clareza exatamente onde o poder divino está ou não. A Bíblia nos diz: "'Saia e ponha-se diante de mim no monte', disse o SENHOR. E, enquanto Elias estava ali, o SENHOR passou, e um forte vendaval atingiu o monte. Era tão intenso que as pedras se soltavam do monte diante do SENHOR, mas o SENHOR não estava no vento. Depois do vento houve um terremoto, mas o SENHOR não estava no terremoto. Depois do terremoto houve fogo, mas o SENHOR não estava no fogo. E, depois do fogo, veio um suave sussurro" (1Rs 19.11-13). Somente depois de tudo isso Elias foi à entrada da caverna para o encontro dramático com Deus.

É fácil compreender incorretamente essa passagem, sobretudo a menção àquilo que alguns tradutores vertem como "o som do mais fino silêncio". O que é o som do silêncio? À primeira vista, parece um enigma *zen* budista, da ordem de "o som de uma mão aplaudindo". Isso se complica ainda mais porque alguns tradutores da Bíblia buscaram encontrar sentido para essa aparente contradição, traduzindo o acontecimento como "uma voz mansa e delicada" que vem após o tumulto de terremoto, fogo e trovão. Isso levou muita gente a concluir que o caminho para escutar a Deus é dar ouvidos à "voz mansa e delicada" em seu coração.

No romance *The Blood of the Lamb* [O sangue do cordeiro], de Peter de Vries, o narrador reflete sobre a experiência de escutar um sermão com base nessa passagem das Escrituras: "Concordamos que já escutamos sermões demais sobre esse versículo, que supostamente foi calculado para desarmar exposições complexas e prolongadas".[1] Sem dúvida, é possível identificar a frustração expressa aqui, quando o narrador resume: "Bem, qualquer um que fale 45 minutos sobre o valor da meditação silenciosa...". E, no entanto, talvez haja um bom motivo para os cristãos se sentirem atraídos com tanta frequência a esse texto, a fim de tentar encontrar, com palavras, a experiência de se deslumbrar sem palavras e de encontrar a Deus.

Sem dúvida, a sabedoria não acontece apenas por meio do processo explícito do raciocínio. Boa parte do que significa crescer em sabedoria e santidade envolve o cultivo de determinados afetos e de certas inclinações que podem, às vezes, parecer uma resposta "instintiva". Mas, assim como no caso da razão, tais intuições também podem falhar. Ao olhar para trás, encontro diversas situações em que gostaria de ter dado ouvidos a meu "instinto" me dizendo coisas do tipo: "Essas pessoas são doidas", e, na verdade, eram mesmo. No entanto, descobri que minha "voz mansa e delicada" tende a odiar as mesmas pessoas que eu quero odiar e se satisfaz imensamente nos mesmos pecados que sinto vontade de cometer. Sua pequena "voz mansa e delicada" pode ser tão enganosa quanto qualquer outra parte sua e pode levá-lo a brigar e fornicar até arruinar-se por completo. Mas não é esse o significado do texto bíblico.

Aliás, o texto não diz que Deus estava no silêncio, apenas que o silêncio foi a pausa antes de Deus falar com Elias. Lembre-se: esse foi o mesmo local em que Deus, em uma sarça ardente, havia se encontrado com Moisés. Naquela ocasião, Deus estava presente na criação, mas distante dela — o arbusto estava em chamas, mas não se consumia. E quando Moisés perguntou o nome de Deus, a resposta foi: "Eu Sou o que Sou" (Êx 3.14). Uma dinâmica semelhante acontece aqui. Deus se revelou a Elias, mas a primeira palavra que precisava ser dita era que ele não era Baal. Alguns sugerem que a manifestação do Senhor de Israel fora da natureza era o "conceito de importância suprema para as tribos de Yahweh".[2] O fato de Deus não estar "dentro" dessas manifestações da natureza no monte deixaram claro para Elias que um relacionamento com Deus não seria, como nas religiões ligadas à terra, a apropriação do poder divino para fins humanos.

Se o único aspecto de Deus que Elias já tivesse visto na vida fosse o fogo do céu que caiu no monte Carmelo, ele se sentiria tentado a entender Deus como esse tipo de ser também — uma maneira de provar a própria justiça e humilhar seus inimigos. Mas Deus revela muito mais ao profeta. Ele falaria, é claro, mas em seu próprio tempo. Primeiro, porém, Elias deveria permanecer perante ele em silêncio. Assim, após contemplar o espetáculo extraordinário do vento, do terremoto e do fogo, Elias passou por alguns instantes de silêncio. E, depois de todo o tumulto e depois de todo o silêncio, Deus voltou diretamente para o que havia falado antes: "O que você faz aqui, Elias?" (1Rs 19.13).

Diferentemente do monte Carmelo, onde Deus permitiu que o profeta o invocasse do céu, aqui é ele quem chama: "O que você faz aqui, Elias?". Com isso, Deus fala não com o poder que definia Baal — a dominação bruta —, mas com um tipo completamente diferente de poder: a *autoridade*. Jonathan Sacks, um dos rabinos mais respeitados do mundo, escreveu anos atrás sobre como o poder pode se corromper no relacionamento entre homens e mulheres quando os homens usam a força física, financeira ou cultural para dominar e maltratar as mulheres. Além de injustiça (que, sem dúvida, é), o rabino ensinou que tais práticas estão enraizadas no culto a Baal. Afinal, "Baal" significa "mestre". Conforme Deus revelou a Oseias, porém, seu povo não deveria chamá-lo de "Baal", mas, sim, de "meu marido".[3]

A diferença não poderia ser mais gritante. "Para Oseias, no cerne da adoração a Baal está a ideia primitiva de que Deus governa o mundo pela força, assim como os maridos administravam suas famílias em sociedades nas quais o poder determina a estrutura dos relacionamentos", escreveu o rabino. "Contrariando isso, Oseias retrata uma possibilidade bem diferente, de um relacionamento entre cônjuges baseado no amor e na lealdade mútua. Deus não é *Baal*, 'aquele que domina pela força', mas *Ish*, 'aquele que se relaciona em amor', a mesma palavra que Adão usou quando viu Eva pela primeira vez." A diferença entre autoridade e dominação é fundamental. Elas não são, de modo algum, a mesma coisa.

Deus estava demonstrando sua diferença em relação à religião popular da prosperidade. Ele falava com autoridade, não como Baal. Essa distinção é importante porque, conforme destacou o sociólogo Robert Nisbet, "poder" é definido pela coerção baseada em força bruta exterior, ao passo que "autoridade" se baseia em lealdade e comunhão. Também é possível dizer "aliança". Nisbet explicou que "o poder só surge quando a autoridade entra em colapso".[4] Suponha que você vai a um casamento e lê no programa: "Em respeito por esta ocasião feliz, os pais da noiva pedem a gentileza de todos ficarem de pé durante a entrada da noiva". O mais provável é que isso não precise ser especificado. As pessoas da comunidade simplesmente sabem: "É isso que se faz nessa parte do casamento", e, caso não saibam, elas se levantam quando veem os outros ao redor fazendo o mesmo. Mas é algo bem diferente ler no programa: "Levante-se enquanto a noiva estiver fazendo a entrada, caso contrário guardas armados, que estão vigiando a cerimônia, quebrarão suas pernas". Isso é coerção e força, enraizadas no medo, não autoridade baseada no pertencimento e na lealdade.

Uma das coisas mais estranhas na figura de Jesus de Nazaré nos evangelhos era exatamente isso. Nas palavras de Marcos, "o povo ficou admirado com seu ensino, pois ele falava com verdadeira autoridade, diferentemente dos mestres da lei" (Mc 1.22). Essa autoridade é demonstrada em todas as páginas dos evangelhos. Jesus fala aos demônios, e estes fogem. Ele fala ao vento e às ondas, e estes se acalmam. Jesus fala a seus seguidores dizendo tão somente "Sigam-me", e eles largam as redes, os sacos de dinheiro do governo ou as armas revolucionárias e simplesmente vão. Isso é admirável porque o que os atraía a Jesus não era o medo de algum revide da parte dele, tampouco a esperança de ganhar dele alguma coisa em termos mundanos. Sua autoridade se baseava em sua credibilidade pessoal, no poder atrativo e transformador de sua voz.

Ainda é assim hoje. O apóstolo Paulo explicou como todos nós saímos do domínio das trevas para o reino de Deus, e é exatamente da mesma forma que a experiência dele: "Pois Deus, que disse: 'Haja luz na escuridão', é quem brilhou em nosso coração, para que conhecêssemos a glória de Deus na face de Jesus Cristo" (2Co 4.6). Esse tipo de autoridade é bem diferente dos apelos baseados em coerção e dominação feitos pelo faraó, por Acabe ou Baal. Isso acontece porque os sistemas autoritários — sejam eles igrejas, governos ou famílias — acabam por revelar ressentimentos latentes debaixo da superfície. É porque, nesses casos, não existe autoridade verdadeira, apenas a repressão daquilo que as pessoas realmente sentem e pensam, por medo de serem punidas ou exiladas.

Baal não era um mero ídolo, mas um programa governamental. A Bíblia conta que essa idolatria teve origem em

Jezabel, que trouxe os deuses de seu antigo país. É improvável que Acabe tenha ordenado a adoração dessas divindades porque amasse Baal e Aserá, ou por achar que eles o amavam. O mais provável é que, assim como o casamento, tudo não passasse de uma forma de consolidar o poder e de firmar uma aliança política. E o resultado foi uma religião popular, um culto que poderia "unir a população" e impedi-los, bem, de "perturbar Israel".

Discordo fundamentalmente de Karl Marx em praticamente todos os aspectos de seu entendimento de Deus, mundo, história, economia, moralidade e assim por diante, mas há pelo menos uma coisa sobre a qual ele estava parcialmente correto. A religião de fato pode ser usada como o "ópio" do povo, entorpecendo-o a fim de que não perceba o que acontece à sua volta.

Argumento ainda que a religião pode ser usada como a "cocaína" do povo, inflamando-o para se mobilizar em prol de qualquer coisa que os poderes em voga acharem útil. Enquanto escrevo estas palavras, o governo totalitário da China tenta extirpar todas as religiões — cristã, muçulmana ou budista — que relativizem o poder do estado, ao mesmo tempo que busca incentivar formas de religião — incluindo formas domesticadas de adoração aos ancestrais e até versões insossas do cristianismo — que possam ser usadas para fortalecer a identidade nacional e alavancar a autoridade da ditadura. César sempre tenta eliminar aqueles que escolhem servir "outro rei, um tal de Jesus" (At 17.7), mas raramente se importa com religiões que proclamem que "Jesus (ou qualquer outro) *e* César são senhores".

Dá para ver de que maneira os diversos deuses e ídolos são colocados um contra o outro na raiva constante de nossa era.

Eu quase nunca presto atenção aos adesivos grudados nos carros, mas há um no qual penso o tempo inteiro, sem nem saber ao certo se entendi o que quer dizer. Uma jornalista me mandou a foto de um carro estacionado ao lado do dela no estacionamento de uma agência dos correios. A mensagem dizia: "Se Jesus tivesse uma arma, ele ainda estaria vivo hoje". Quando vi, balancei a cabeça e murmurei: "Jesus *está* vivo hoje!".

A princípio, presumi que o carro pertencia a um cristão praticante, provavelmente um evangélico como eu, que queria deixar claro seu ponto de vista acerca do porte de armas. Foi isso que me irritou, mas não por causa do ponto de vista. Não sou pacifista e acho que há espaço para César empunhar a espada contra os malfeitores (Rm 13.1-7) e para as pessoas protegerem seus vizinhos em perigo de ser atacados. Em vez disso, o que me deixou com raiva foi ver Jesus ser usado como meio para um fim, um modo de enfatizar um ponto de vista que a pessoa já defende, mas fazendo-o de uma forma que demonstrou total desconhecimento da Bíblia. Tais exemplos não são incomuns. Nesse caso, porém, a mera expressão desse argumento consistia em um sacrifício literal do ponto integrador de toda a Bíblia.

Para mim, é exatamente esse o problema de usar a religião como ferramenta para qualquer coisa: sucesso político, bem-estar econômico, *status* pessoal ou seja lá o que for. O perigo — até mesmo em questões nas quais a pessoa está certa — é usar Deus como ferramenta. Trata-se de um repúdio de quem ele é como Deus. "Aqueles que querem transformar Deus em armas ideológicas em nossos conflitos políticos estão engajados em blasfêmia", escreveu o sociólogo Peter Berger há uma geração, e essa blasfêmia, conforme ele identificou corretamente, está em contradição com aquilo que Deus revelou repetidas vezes acerca de si mesmo por meio de seus profetas. "O Deus da mensagem profética se ergue soberano sobre todas as nações e todos os impérios", escreveu Berger. "Ele não pode ser invocado como um aliado politicamente seguro, nem mesmo por Israel."[5]

No entanto, quanto mais eu refletia sobre o adesivo, mais comecei a pensar que ele não pertencia a um cristão. Em vez disso, deveria ser o carro de um secularista zombando da politização excessiva do cristianismo americano ou um defensor do controle do porte de armas ridicularizando os ativistas do direito ao armamento da população civil. Ou ainda poderia pertencer a um neopagão, assim como meu colega no transporte público que adorava Thor, ridicularizando o próprio Jesus, como faziam os antigos pagãos, como se ele fosse um fracote incapaz de se defender de ataques. Eu ainda não sei. Mas realmente não importa porque, no fundo, qualquer uma dessas mensagens se resume à mesma coisa: um conceito de poder como assertividade, agressão e vitória.

Um adesivo bobo colado em um carro é apenas um adesivo bobo colado em um carro. E eu nem o mencionaria, caso a mensagem contida nele não fosse, com muita frequência, a opinião da maioria, até mesmo daqueles que professam o evangelho. A ideia é que Jesus não teria agido como vítima caso tivesse o poder de se defender. E foi exatamente essa alegação que Jesus refutou diversas vezes. Ninguém tiraria sua vida, afirmou, pois ele a entregaria voluntariamente (Jo 10.17-18). O apóstolo Pedro concordava com o sentimento do adesivo e, por isso, sacou a espada e a mirou na cabeça do guarda que tentava prender Jesus. O resultado? Jesus repreendeu seu discípulo. Quem precisa de espada quando poderia chamar doze legiões de anjos (Mt 26.47-56)? Jesus não se assustou com o poder de ninguém. Em vez disso, mostrou-nos o que é poder — o poder da cruz que parece fraco para o mundo. Aliás, Jesus revelou a Pedro que o poder que ele buscava para conter os inimigos acabaria consumindo-o (Mt 26.52).

Ainda mais importante, Jesus sabia onde estava a verdadeira crise — e onde ela ainda está. A crise não era a ameaça de dano externo. A crise era um mundo sob a justa condenação de Deus. A solução da crise não poderia se originar de esforços humanos, mas, sim, do sacrifício do Cordeiro de Deus. Pedro achava que seu maior inimigo era o império romano. Jesus conseguia enxergar além de Roma e ver Satanás caindo do céu como um raio. Em um tempo de idolatria da vitória e da ostentação, é possível revelar aquilo a que de fato damos importância ao observar o que desperta nossa emoção e o que faz nossa pressão sanguínea subir. Em nosso tempo, não costuma ser a missão do evangelho, mas a identidade política, que nos leva a considerar "nosso lado" melhor do que algum outro grupo.

Nesses debates, o que é defendido não é Cristo e o evangelho, mas os "cristãos", em sua definição sociológica, cultural ou política. Mais uma vez, podemos ver isso naquilo que nos leva a nos lamentar ou nos irar. Nossos antepassados ficaram enraivecidos pela perda da terra e do templo para conquistadores estrangeiros, mas não se irritaram nem um pouco ao colocarem, eles próprios, ídolos dentro do templo de Deus (Ez 8.1-18). Jesus, em contrapartida, não se irou com a intensidade imensa das discussões à sua volta — se era apropriado pagar impostos a César, se as pessoas deviam se aliar aos publicanos ou aos zelotes, aos fariseus ou aos saduceus. Sem dúvida, não ficou bravo com o tratamento que recebia das pessoas ao seu redor. Ainda assim, mostrou-se visivelmente irado com aqueles que queriam impedir pessoas interessadas de ter acesso ao templo ou à Bíblia (Mt 21.12-17; 23.1-36).

Nossos debates culturais, morais e políticos são importantes. Dar a própria opinião é bom e, às vezes, até mesmo necessário. Mas, se nossas paixões demonstrarem que tais coisas são as mais importantes para nós e centrais para nossa identidade, então teremos nos enveredado por um caminho que não devemos trilhar. É por isso que o cristianismo deste país está enfermo e fraco, sem nem se dar conta dessa realidade. Ficamos entediados com aquilo que a Bíblia revela ser misterioso e glorioso, ao mesmo tempo que o sangue nos sobe à cabeça por questões sem importância no amplo escopo da eternidade. E por quê? Porque clamamos pelo tipo de poder que o mundo reconhece, ao passo que ignoramos o poder de Deus proveniente do Cristo crucificado. Trocamos o Sermão do Monte por influência e acesso porque o Sermão do Monte parece fraco e resignado. E, em meio a tudo isso, demonstramos o que realmente é importante para nós: o mesmo poder e alavancagem pessoal que esta era já valoriza. Achamos que, se fôssemos mais agressivos, dominadores e poderosos, talvez não nos tornaríamos vítimas. Talvez venceríamos, como Thor, em vez de perder, como Jesus.

O poder, porém, não se encontra no caminho da dominação, mas na trilha da crucificação. Essa afirmação é de tirar o fôlego em sua audácia. A crucificação — a execução de um criminoso considerado uma vergonha à comunidade, um inimigo vencido do estado e amaldiçoado por Deus — era a última coisa que um movimento religioso em busca de audiência enfatizaria no império romano do primeiro século. Aliás, até mesmo o reconhecimento desse acontecido pareceria ajudar na argumentação do "outro lado". A crucificação, afinal, era um sinal claro do poder de Roma. Uma fileira de cruzes à beira da estrada era uma advertência para qualquer um que pensasse em desafiar os poderes instituídos. Paulo ensinou que a cruz é um escândalo para todos, quando a entendemos de verdade, pois derruba nosso conceito de entendimento acerca de poder, sabedoria, sucesso e vitória. Como ela difere da pose de poder a qual almejamos ou fingimos alcançar! Paulo escreveu que proclamava somente Cristo e este crucificado porque "a 'loucura' de Deus é mais sábia que a sabedoria humana, e a 'fraqueza' de Deus é mais forte que a força humana" (1Co 1.25). Aliás, argumentou Paulo, "Deus escolheu coisas desprezadas pelo mundo, tidas como insignificantes, e as usou para reduzir a nada aquilo que o mundo considera importante. Portanto, ninguém jamais se orgulhe na presença de Deus" (1Co 1.28-29). A força não é encontrada no caminho da glória, mas na estrada para o Gólgota. E era exatamente para esse lugar que Deus conduziu Elias: para a cruz.

É claro que a maioria de nós não aspira ao poder no sentido de um supervilão em seu covil, rindo como um maníaco ao pensar em seus planos para dominar o mundo. Deixados por conta própria, porém, todos nós tentamos nos definir nesse contexto do darwinismo social de vencer e ostentar. Às vezes, essa fome por domínio é óbvia para quem está ao redor, mas nem sempre para o indivíduo em si. A maioria, é claro, não tem a autoridade de Jezabel, com poder para decretar a vida ou a morte de alguém, mas usam o poder de outras maneiras. A pessoa pode ameaçar deixar de devolver o dízimo ou doar suas ofertas caso a igreja não concorde com suas opiniões. Caso dê contribuições financeiras significativas, pode usar esse "poder" como influência de peso, assim como um primata tenta estabelecer seu domínio por meio da agressão física na selva. Outra pessoa pode fofocar no ambiente de trabalho para impedir que um rival seja promovido ou, pelo menos, semeia dúvidas a fim de que tal pessoa seja menos querida.

Talvez você pense que está imune a tudo isso, pois reluta em chamar atenção para si ou é avesso a discussões, mas ninguém está isento. Todos devemos superar essa tendência, mesmo quando ela não se manifesta em um espírito rixoso e ditatorial, mas apenas na busca por ser considerado impressionante e equilibrado.

Certa vez, eu estava conversando com um homem mais velho e bem mais sábio do que eu sobre um dos momentos mais dolorosos de minha vida. Ele disse: "Russell, você notou que, ao falar sobre essas situações difíceis, você sorria?". Para falar a verdade, eu não havia notado, mas ele estava certo. Em algum momento da vida, eu aprendi que parecer vulnerável me faria aparentar fraqueza e seria um convite a mais ataques e, por isso, sorri em meio a tudo. Consigo identificar esse padrão em minha vida inteira e em praticamente todas as etapas. O sorriso constante, para não dar importância a qualquer problema que me fosse mencionado, não era um reflexo da realidade, mas, sim, uma estratégia darwiniana de sobrevivência.

Não importa o quanto as pessoas peçam que você seja "vulnerável" e "autêntico" com elas, você não deve a todos — mesmo dentro da igreja — acesso a todas as suas mágoas, dores e lutas. Deus nos deu tipos diferentes de amizades e relacionamentos por uma boa causa. Ainda assim, a maior parte do que se espera que façamos em nossa era é impor controle, em vez de carregar os fardos uns dos outros. Queremos parecer fortes — e, às vezes, a "felicidade" faz parte dessa força — exatamente pelo mesmo motivo que um lagarto enche o papo a fim de parecer maior do que é, ou seja, para afugentar ameaças. Isso é poder, mas uma visão distorcida do poder. O caminho a Jesus nos chama a nos posicionarmos pelos outros que estão feridos, e inclusive a estar dispostos a ser ultrajados, incompreendidos e até mesmo alvo da pena daqueles que acham que somos "perdedores".

Mas não queremos seguir esse caminho, pois, assim como Simão Pedro, todos parecemos saber que ele não funciona. E nossas intuições a esse ponto estão corretas. O caminho da vida cruciforme realmente não "funciona", se o julgarmos de acordo com os padrões de sucesso que nos rodeiam desde o nascimento. Se você não "bate de volta" com um comentário devastador diante de um insulto, está em desvantagem diante de todos que o fazem. Se você não reúne grupinhos para dizer "Todos estão preocupados com..." a fim de conseguir que as decisões sejam tomadas do seu jeito dentro da igreja, está em desvantagem diante de todos que o fazem. Se você perdoa aqueles que o magoam, pode ser magoado de novo por outra pessoa. Tudo isso é verdade. No curto prazo, o darwinismo do tipo olho por olho produz resultados bem melhores do que o cristianismo pautado pelo Sermão do Monte.

Deus demonstrou repetidas vezes na vida de seu povo que seu caminho rumo ao poder acontece de maneira diferente do que o jeito do mundo caído. É por isso que ele pediu a Gideão que reduzisse seu exército a um bando relativamente minúsculo de homens. É por isso que proibiu os israelitas de escolher um rei com base na aparência física. É por isso que denunciou aqueles que buscavam segurança em aliados egípcios poderosos, em lugar da dependência em Deus, atitude aparentemente desprovida de poder. E isso continua ao longo das eras até nossa realidade presente. A revelação de Jesus a

João — desvendando o mistério por trás do que se vê — contrasta o poder da "besta" com o do Cordeiro. A besta surge com poder e proezas, ladeada por profetas da corte que dirão: "Quem é tão grande como a besta? [...] Quem é capaz de lutar contra ela?" (Ap 13.4). Os que governarão de fato, porém, são aqueles que mereceriam ser lastimados, aqueles cuja cabeça foi cortada pelo império (Ap 20.4). A Babilônia é impressionante e poderosa, mas seu futuro é a queda. Já Jerusalém é sitiada e derrotada, porém a nova Jerusalém prevalecerá para sempre.

No curto prazo, em quase qualquer âmbito — casa, trabalho, igreja, estado, cultura — a demonstração de força faz mais sentido do que carregar a cruz. Mas isso se limita ao curto prazo, e a vida é um sopro. Nosso problema supremo é que somos cativos de um poder estrangeiro, o deus desta era, da tirania de nossos apetites e da inevitabilidade da própria morte. Contra isso, a religião popular não fará coisa alguma. Contra isso, a pressão do poder é inútil. Contra isso, "sucesso" não passa de mais do mesmo.

A crise de Elias não era nada em si mesma. Conforme o próprio profeta desejava, só valia para ser esquecida. Mas apontou além de si para outra crise — não no monte Horebe, mas no Gólgota. Lá Jesus foi não só executado pelas autoridades, mas também ridicularizado por elas (a veste púrpura, a coroa de espinho, a placa de "Rei dos judeus" acima da cabeça). Lá Jesus sentiu sede e foi aliviado por uma fonte improvável: os soldados que o crucificavam. Lá Jesus, em lugar do mundo pecador, sucumbiu debaixo da maldição do pecado e da morte.

Essa fraqueza foi a evidência de que seus oponentes precisavam para afirmar que ele não estava do lado de Deus. Afinal, Deus não permitiria que seu servo ungido sofresse daquela maneira, que falhasse daquela maneira. Ele bradou para o céu: "Meu Deus, meu Deus, por que me abandonaste?". E seu clamor foi recebido com silêncio impenetrável. Ao falar em aramaico, "*Eloí, Eloí, lamá sabactâni?*", a multidão zombeteira presumiu que ele estava chamando Elias (Mc 15.34-35), mas não era o caso. Séculos antes, porém, Elias havia clamado em desolação e angústia, esperando ser ouvido por Deus. Contudo, o livramento que ele buscava só chegaria no momento de maior fraqueza que Elias havia conhecido: a cruz. Jesus, no madeiro, não estava clamando por Elias. Em vez disso, foi Elias no deserto quem clamou por Jesus.

A coragem precisa confrontar a contradição da cruz, ou nossa "coragem" será apenas um tipo melhor de medo. Na verdade, todas as alavancas que buscamos para o poder são meras formas de encontrar segurança contra o medo, assim como era o caso dos adoradores de Baal. São maneiras de usar o poder para impedir que coisas ruins nos aconteçam e para assustar qualquer um que queira nos magoar. O resultado disso, porém, é mais medo. Conforme explicou sabiamente o autor David Foster Wallace a um grupo de formandos: "Adore o poder — você sentirá fraqueza e medo e precisará de ainda mais poder sobre os outros para controlar o medo".[6] Caso seu ídolo seja o poder, você se tornará como esse ídolo e descobrirá, em última instância, que todo ídolo sucumbe no fim das contas. Quando o ídolo começar a tombar, nossa primeira reação será de temor, sentindo-nos expostos diante daquilo que nos assusta. Na verdade, porém, deveríamos nos alegrar, porque estaremos então prontos para encontrar nosso caminho rumo ao Deus que não se define por uma boca escancarada ou uma mão que agarra, mas por um corpo partido, com o sangue derramado. Quando somos libertos da autoproteção e da busca incessante por sucesso, ficamos livres para nos erguer na verdade.

Dietrich Bonhoeffer, mártir cristão alemão da era nazista, escreveu que o "sucesso" nas figuras que aspiramos ser ou que exaltamos como modelos se transforma na idolatria do sucesso que obscurece até mesmo as categorias de bem e mal. Ele argumentava que o sucesso em si justificava os males cometidos. "A capacidade moral, intelectual e crítica é embotada", escreveu. "É ofuscada pelo brilho do indivíduo bem-sucedido e pelo anseio de compartilhar, de algum modo, de seu sucesso." Contudo, explicou Bonhoeffer, "a figura do Crucificado invalida todo pensamento que usa o sucesso como padrão". Concluiu corretamente então que o resultado final é que o ídolo do sucesso conduz à solidão, ao desespero e, em última instância, à fraqueza, ao passo que "somente o homem crucificado está em paz com Deus".[7]

É por isso que a vulnerabilidade é necessária para a coragem. Necessitamos de comida, água e descanso. Somos muito mais frágeis do que pensamos. E, embora tentemos evitar pensar nessas coisas, há momentos em que reconhecemos nossa impotência diante da destruição iminente. Às vezes, vemos isso em um relacionamento que se desintegra, em um emprego que se vai, na saúde que falha — ou no mero temor de que alguma dessas coisas aconteça. Assim como no caso de Elias, para aqueles que pertencem a Cristo, sempre haverá uma arena, dentro da mente, de Deus contra Baal, Cristo contra Mamom. Deus afastou Elias do caminho do poder e o conduziu ao caminho da cruz. E fará o mesmo por nós também.

Nossos temores não são tão distantes dos de Elias. Pouquíssimos de nós pedem que fogo literal caia do céu para destruir nossos inimigos, mas todos tentam se proteger e alcançar o que definimos (ou permitimos que definam para nós) como "vencer". Ao fazê-lo, erguemos campos de força de autoproteção ao nosso redor — talvez em forma de inteligência sarcástica, irritação perpétua ou conquistas profissionais. Não nos tornamos invulneráveis, mas, sim, hiperfrágeis. Baal está ganhando. Baal é a multidão. Baal dá acesso à coroa. Mas Deus é o Deus de Jesus Cristo, e Cristo crucificado. O sinal dessa cruz é o poder de Deus e a sabedoria de Deus. E não há nenhum outro caminho além desse.

O estranho no transporte público naquele dia não era um inimigo a ser massacrado pelo debate. É um pecador que, assim como eu, provavelmente tem medo da própria fraqueza. E, a fim de se sentir forte, quer se identificar com força, poder e vitória. Não é preciso ressuscitar divindades que morreram há muito tempo para isso. Todos o fazemos. E todos escolhemos nosso próprio Thor, Zeus, Baal ou Dagom. Mas esse tipo de poder é frágil e acabará fracassando.

Jesus não é um deus da tempestade. Ele não tem um machado, mas pregos com os quais ele próprio foi pregado na cruz. É ali que se encontra a verdadeira crise. É por isso que Jesus não se abalava diante de demônios, é por isso que praticamente bocejou ao deparar com uma tempestade capaz de virar o barco, é por isso que pareceu impassível diante de Pilatos, que tinha autoridade legal para condená-lo à morte, mas transpirou gotas de sangue ao enfrentar a cruz. Por nós, ele suportaria nossa maior calamidade: nossos pecados, morte e condenação. E, em meio a esse tipo de fracasso, ele venceria. Nesse tipo de fraqueza, ele superaria o mundo, a carne e o diabo. Nesse tipo de humilhação, Deus seria glorificado. Pelo menos foi isso que o próprio Deus disse. Mas tudo não passou de trovão.

Não é mesmo?

6
Coragem e comunidade

....

Conexão em meio à solidão

Ao olhar para o passado, a maioria de nós consegue identificar um momento da vida em que gostaria de voltar atrás e fazer diferente. Tenho muitas situações desse tipo, mas uma delas foi a ocasião em que tentei fazer um grupo de desabrigados parar de cantar uma música *country*. Percebo que isso parece intencionalmente mais cruel do que minha tentativa na época, mas o que aconteceu foi o seguinte: eu estava fazendo doutorado em teologia e, mais ou menos uma vez por mês, em uma segunda-feira à noite, me voluntariava em um abrigo para homens desabrigados no centro da cidade. Naquelas noites, havia um culto e, às vezes, eu pregava. Uma das tradições no abrigo era que os homens escolhessem um de seus hinos favoritos para cantar no culto. Eles selecionaram "Me and Jesus" [Eu e Jesus], de Tom T. Hall. E eu disse não.

O problema não é que a música não fosse formal o bastante para mim, já que sou fã da música *country* clássica, capaz de conversar a noite inteira com aqueles homens sobre os relativos méritos das gravadoras mais populares. Tampouco tinha problema com o fato de Hall, compositor respeitado da zona rural de Kentucky, cantar muitas vezes sobre temas nada ligados ao louvor, como resumir o sentido da vida a cavalos mais rápidos, mulheres mais jovens, uísque mais antigo e mais dinheiro. Minhas *playlists* pessoais mostrariam que não tenho pedra nenhuma para jogar nessa área. O problema não era nem mesmo que eu não goste da música. A melodia gruda como chiclete, a voz de Hall é perfeita para ela e, não raro, eu a cantarolo sozinho (muito embora sempre me sinta meio culpado ao fazê-lo).

O problema é que eu achava que a mensagem reforça algo profundamente errado com o cristianismo americano, algo que se revela com frequência na religião cultural ao meu redor, a saber, a ideia de que a religião é uma mera questão individual, da pessoa e de Jesus, a sós em um jardim, separados do foco do Novo Testamento na igreja. Aliás, já ouvi muita gente que, sem dúvida, não sabe nada sobre música *country*, falar mal do "cristianismo do tipo eu e Jesus" sem se dar conta de que a referência à expressão se baseia na letra dessa música. Apesar de minha relutância, não tive influência suficiente para impedi-los de cantar o que haviam escolhido. Assim, minutos antes de pregar, ouvi aquele auditório cheio de homens cantando em uníssono: "Eu e Jesus temos nosso próprio lance; eu e Jesus já resolvemos tudo; eu e Jesus temos nosso próprio lance; eu e Jesus não precisamos que ninguém nos diga o que fazer".

Eu não estava preparado para a energia do ambiente tão logo soou o primeiro acorde no violão, assim que a multidão percebeu o que estava prestes a cantar. Em geral, a voz daquele grupo de homens era forte sempre que cantávamos algo que eles reconheciam — normalmente antigos hinos de reavivamento sobre o sangue e a graça. Mas, ao cantarem essa música, ergueram as mãos para o céu, seus olhos se encheram de lágrimas e muitos ficaram de braços dados, com sorrisos radiantes. Estavam vivenciando comunidade. Aliás, a própria escolha de cantar "Me and Jesus" fora um ato de comunidade, ao decidirem juntos, toda aquela centena de homens, qual hino entoariam para louvar. Na tentativa de salvá-los do "individualismo", queria passar por cima de seu senso de comunidade, para que Jesus e eu corrigíssemos a teologia deles e então lhes dissesse o que fazer.

Ao longo dos anos, cheguei à conclusão de que não foram eles que haviam entendido errado aquela música, mas eu o fizera. Em entrevistas e explicações escritas deparei com Hall falando sobre a canção, e parte dela de fato era um hino contra a religião institucionalizada. Ele explicou que a compôs após ouvir pregadores no rádio manipulando as pessoas para ganhar dinheiro, colocando-se como intermediários entre Deus e gente desesperada. Mas também disse que as palavras não surgiram em tom de protesto, mas de sofrimento. Estava repetindo as palavras de sua mãe, que tanto ouviu quando criança, enquanto ela lutava para encontrar uma maneira de sobreviver à pobreza e às privações com os pouquíssimos recursos de que dispunha: "Eu e Jesus vamos passar por isso", ela dizia.

Há uma solidão na música, mas o que os homens daquele abrigo ouviam não era a solidão de um rebelde opositor, mas, sim, daquele que perdeu sua rede social de apoio. Essa era a história deles. Muitos eram alcoólatras. Alguns, viciados em drogas. Havia aqueles que lutavam com enfermidades mentais. Alguns haviam cometido crimes. Muitos não tinham mais contato com a família, e seus familiares nem sequer falavam mais sobre eles. Muitos não podiam voltar para sua igreja de origem sem ser excluídos, alvo de fofocas e de cabeças balançando em desaprovação. É sobre isso que fala a música: "Conheço um homem que era pecador; conheço um homem que era bêbado; conheço um homem que era perdedor; certo dia, ele saiu e fez um altar de cacos". Quando ninguém mais estava lá, eles podiam contar com o fato de que Jesus os conhecia, exatamente como eram, e não precisavam se aproximar dele como parte de uma família intacta ou como membros respeitáveis da sociedade. Ele os aceitaria, mesmo quando estivessem sozinhos no mundo.

E é por isso que eles quase davam risada, cheios de alegria, ao cantar: "Jesus me fez superar todos os meus problemas; Jesus me fez superar todas as minhas provas; Jesus me fez superar todo coração partido", e, então, a parte mais importante: "E sei que Jesus não me abandonará agora". Todos conheciam essa experiência de solidão e desespero. Aliás, essa solidão compartilhada era a forma que tinham de encontrar comunidade, enquanto se uniam para fazer um altar dos cacos que haviam sobrado da vida de cada um.

Poucos de nós já passaram por esse tipo de solidão misturada não só a anseios e dores, mas também ao medo. Durante sua crise no deserto, Elias foi levado diretamente a um suplício de solidão, no contexto do terror. Afinal, o profeta estava fugindo da família real, mas isso não deve ser considerado uma mera fuga de uma ameaça. Ao escapar de Acabe e Jezabel, Elias estava se afastando de casa, da tribo à qual pertencia. Em certo sentido, essa solidão precedia o isolamento físico de seu povo. A identificação que Elias faz de si mesmo para Acabe, "Tão certo como vive o SENHOR, Deus de Israel, perante quem *eu* me posiciono", ressoa com a ênfase na primeira pessoa do singular, pois, sem dúvida, Elias parecia, na ocasião, se posicionar sozinho.

Ao enfrentar os profetas de Baal, Elias estava sozinho contra uma multidão, muito embora, naquele momento de poder, ele parecesse estar apreciando, em comparação com a desolação por vir. Olhando ao redor no deserto, Elias tinha uma confirmação visual de sua realidade interna: de fato, ele estava sozinho. Por isso, fez e repetiu um lamento de um homem solitário para Deus: "Tenho servido com zelo ao SENHOR, o Deus dos Exércitos. Contudo, os israelitas quebraram a aliança contigo, derrubaram teus altares e mataram todos os teus profetas. Sou o único que restou, e agora também procuram me matar" (1Rs 19.10,14). A resposta divina é diferente do que se poderia esperar. Deus parece desconsiderar a reclamação do profeta e, em vez disso, lhe diz que, na verdade, ele não estava sozinho. Deus afirma que havia um remanescente formado por "sete mil de Israel que nunca se prostraram diante de Baal nem o beijaram" (1Rs 19.18). O tormento da solidão de Elias foi confrontado com a revelação de que o profeta não estava tão só quanto imaginava.

Parte do motivo para desvendar essa dinâmica é que, se formos honestos, a relação entre indivíduo e comunidade é complicada para quase todos nós. Pais de adolescentes às vezes entram em pânico diante das oscilações de humor e mudanças de personalidade que podem ocorrer nos filhos. "Ele não é assim", dizem. Ou: "Ela não age mais como nossa bebezinha querida!". Às vezes, há problemas sérios subjacentes a tais questões. No entanto, na maior parte das vezes, é apenas o tumulto normal dos anos entre o abrigo da infância e as responsabilidades da vida adulta. Nesse período, as pessoas estão tentando se diferenciar da família de origem. O que realmente pensam e sentem em comparação com o quanto foi simplesmente herdado inconscientemente de padrões praticados pelos pais? Ao mesmo tempo, é uma idade na qual é extremamente importante se encaixar na "tribo" da própria geração. Os adolescentes se perguntam, o tempo inteiro, de uma maneira ou de outra: "O que os outros pensam a meu respeito?". Na verdade, porém, isso aumenta na adolescência, mas nunca passa. Em certo sentido, todos nós levamos a vida entre dois desejos conflitantes: ser um indivíduo e pertencer a uma comunidade.

No presente, muitos se preocupam com o que costuma ser chamado de "epidemia da solidão" em todo o mundo ocidental industrializado. E é uma preocupação válida. O crescimento vertiginoso dos índices de vícios, de desajuste familiar e até de suicídios parece estar enraizado em algo mais profundo do que um mero tumulto econômico.

Consigo enxergar isso em minha vida, e até em meu bairro. Eu conseguiria mapear para você o interior de todas as casas em um raio de três quilômetros da residência onde cresci. Sei lhe dizer quem era parente de quem, quem tinha pote de bala na mesa de centro da sala e quem bebia escondido. Agora, teria dificuldade de lhe dizer mais do que cinco nomes e sobrenomes dos meus atuais vizinhos ou de descrever a aparência da sala da casa deles.

Presumo que essa espécie de desconexão é a linha de chegada de muitos fatores — forças culturais que nos levam a nos enxergarmos como produtores e consumidores individuais, definições variáveis de família, uma economia que exige uma mobilidade jamais vista, tecnologias que permitem que nos isolemos em nossos próprios ecossistemas de entretenimento. Contudo, mesmo diante de um percentual estarrecedor de solidão, não emergiu o tipo de individualismo que seria de se esperar. Em alguns aspectos, vivemos em uma época de aumento da conformidade, de fusão de indivíduos em uma grande massa de tribos. A despeito de todos os debates na mídia sobre questões políticas, os estudos revelam que pouquíssimas comunidades são capazes de ter esse tipo de debate em uma cafeteria local porque as comunidades tendem a ser "divididas" por preferências culturais e políticas.[1] Temos a propensão de nos agrupar em rebanhos nos quais podemos expressar nossa opinião individual com confiança cega a fim de nos fundir a uma multidão à qual pertencemos.

Existem razões naturais para essa inclinação. Anos atrás, eu sentia medo e ficava alarmado com turbulências em aviões. Meu sistema nervoso e até meu cérebro concluíam que, toda vez que um avião sacodia para baixo e para cima, era sinal de que a aeronave estava prestes a cair. Percebi que minha forma de me acalmar era olhar em volta para os outros passageiros, sobretudo para os comissários de bordo. Eles tinham anos de experiência em inúmeros voos, eu dizia comigo. Por isso, caso estivessem conversando entre si, rindo ou fazendo palavras cruzadas, eu relaxava. Mas se visse um comissário de bordo de olhos fechados, movendo os lábios e as mãos passando as contas de um rosário, começaria a ficar nervoso.

Há algo praticamente embutido em nós que nos leva a buscar segurança na manada. Todavia, esse tipo de conformidade como forma de proteção pode ter consequências terríveis, que vão muito além da simples perda de "autenticidade" individual. Certo biólogo neodarwinista observou como a perda de individualidade para a manada pode levar as pessoas a fazer coisas que normalmente jamais fariam e dá o exemplo dos terroristas da Ku Klux Klan, escondidos debaixo de lençóis, sob a mesma aparência, sem distinção de rosto. Em qualquer situação desse tipo, na qual as diferenças pessoais são absorvidas em similaridade de aparência, as pessoas são mais propensas, por exemplo, a torturar ou mutilar outros seres humanos. Ele argumenta que isso acontece porque "a responsabilidade é difusa pela anonimidade".[2]

Não é que os transgressores não querem que os outros saibam quem eles são, mas eles próprios querem uma negação plausível, como se dissessem: "Eu não fiz isso, o grupo fez". É claro que o biólogo por trás dessa teoria jamais levaria os argumentos para além da esfera natural, mas eu gostaria de argumentar que essa realidade nos leva de volta ao trono do juízo, para o qual a consciência humana aponta. Queremos nos esconder de Deus e, não raro, o fazemos nos escondendo atrás uns dos outros, a fim de nos perder em meio à multidão.

Isso, é claro, estava bem no cerne da crise de Elias. Ele foi acusado de violar a unidade do povo, de ser um "perturbador de Israel", e era exatamente isso que Elias era. A nação deveria se unir sob a liderança do rei. Uma metáfora usada com frequência era a do pastor com seu rebanho. E, nesse caso, o rei era mau, mas também poderoso. Além disso, a própria adoração a Baal impelia à unidade, como qualquer religião popular. Se ter comunidade apenas por comunidade fosse a resposta para os perigos do povo, então Deus teria deixado Elias no meio de toda aquela confusão, sem perturbações e sem perturbar.

No fim das contas, porém, Deus o tirou da grande massa, tanto em termos de convicção quanto do isolamento físico e exílio. Por quê? Jesus identificou o medo de ficar sozinho como um dos principais aspectos da covardia. Muitos entre a multidão saudaram Jesus como o ungido de Deus quando ele entrou em Jerusalém montado em um jumentinho. No entanto, apenas alguns parágrafos depois, João escreveu que a origem da relutância das autoridades para crer nele não era a dificuldade em encontrar base para suas afirmações, mas, sim, o fato de terem medo. De maneira específica, tinham medo dos fariseus, não por algum risco à segurança física, mas por temerem que "os expulsassem da sinagoga". Assim, "amaram a aprovação das pessoas mais que a aprovação de Deus" (Jo 12.42-43).

Todos nós, se deixados à própria mercê, temos impulsos contraditórios — ser os únicos a definir a própria vida e sorte ou nos unir à colmeia, na qual podemos encontrar a glória visível e audível que recebemos uns dos outros, em lugar da glória invisível e inaudível que provém de Deus, uma glória que não é presenciada nem escutada por nada além da fé deste lado da Nova Jerusalém. Ao mesmo tempo, Jesus era um tormento para aqueles que tentavam se esconder detrás das riquezas, das realizações ou de qualquer outra coisa. Quem se aproxima dele deve aceitar um Senhor e uma comunidade que, em geral, a pessoa não escolheria por conta própria (Jo 15.1-16).

Ao resolver o medo de solidão e exílio que Elias sentia, Deus destacou a existência de um "remanescente", um grupo de sete mil pessoas desconhecidas do profeta que não haviam dobrado os joelhos a Baal, nem o beijado. Esse vocabulário diz respeito a lealdade. É por isso que as Escrituras afirmam que, em última instância, "todo joelho se dobrará" a Deus (Rm 14.11). A linguagem do "remanescente" tem importância crucial muito além desse episódio, mas é central para o relato mais amplo que une história e revelação. O remanescente de sete mil era desconhecido do profeta — porque não lhe dizia respeito. Aliás, o conhecimento desse grupo antes da hora poderia ter levado Elias para outro sentimento, que não a fé. Ele precisou ser reduzido à completa dependência em Deus, a se agarrar ao Senhor como se fosse o único que ainda o fazia. Caso Elias soubesse que esse grupo existia e que Deus poderia formar um exército poderoso com todas essas pessoas, haveria a possibilidade de depositar nisso sua confiança, escondido na "multidão" da manada anti-Baal, em lugar da "multidão" dos profetas da corte de Acabe.

Elias precisou ficar sozinho, por um tempo, a fim de ter condições de servir um remanescente que ele nem imaginava existir na época. Essa ideia ganharia importância suprema no Novo Testamento. O apóstolo Paulo escreveu para a igreja de Roma: "Vocês sabem o que as Escrituras dizem a esse respeito? O profeta Elias se queixou a Deus sobre o povo de Israel, dizendo: 'Senhor, eles mataram teus profetas e derrubaram teus altares. Sou o único que restou, e agora também procuram me matar'. E vocês se lembram da resposta de Deus? Ele disse: 'Ainda tenho outros sete mil que jamais se prostraram diante de Baal'. O mesmo acontece hoje, pois uns poucos do povo de Israel permaneceram fiéis, escolhidos pela graça de Deus" (Rm 11.2-5). O argumento de Paulo é que a rejeição do evangelho pela maioria do povo de Israel não era, na época, um sinal de que Deus havia rejeitado seu povo. Mais uma vez, ninguém deve determinar a veracidade e o significado de algo pelo número de pessoas que aderem a esse algo no momento. Em vez disso, escreveu Paulo, o remanescente permanecia intacto. A linhagem fiel de Israel não terminou com Elias. E, mesmo agora, Deus está enxertando um povo no ramo de sua videira de Israel. Os seguidores romanos de Jesus eram beneficiários desse remanescente da graça.

Aliás, é sempre assim que Deus age. Ele iniciou o povo de Israel com um só homem, um estrangeiro itinerante chamado Abrão, e o fez crescer até se tornar um grande reino. Após divisão, exílio e julgamento, Israel se reduziu mais uma vez a uma raiz em solo queimado, um galho minúsculo de uma vinha podada, na pessoa de Jesus de Nazaré. Este, por sua vez, reuniu doze "rochas" que se tornariam as pedras fundamentais da nova Jerusalém (Ap 21.14). No propósito divino, uma árvore gigantesca sempre começa como uma semente quase invisível, e o rio caudaloso sempre inicia como um filete de água quase imperceptível (Ez 47.1-11). E, conforme vimos, a comunidade que ele forma costuma começar em solidão, fragilidade e irrelevância.

Elias já deveria saber de tudo isso. Após o confronto no Carmelo, o profeta pronunciou para Acabe que a chuva voltaria. Quando Elias se prostrou perante Deus, ele mandou um servo olhar para o mar, a fim de observar se a chuva estava a caminho. O servo voltou e não relatou nada, então Elias o mandou de volta. Nada ainda. Elias o fez voltar repetidamente por sete vezes, sem nada à vista. Da sétima vez, o servo disse para Elias que viu "uma pequena nuvem, do tamanho da mão de um homem" (1Rs 18.41-44). Aquela nuvenzinha era tudo de que Elias precisava para anunciar que o grande temporal estava a caminho: "Em pouco tempo, o céu ficou escuro com nuvens. Um vento forte trouxe uma grande tempestade" (1Rs 18.45). Elias viu, no monte Carmelo, como é possível confiar na palavra de Deus, nos próprios termos dessa palavra. E sabia como encontrar conforto na revelação de coisas pequenas que preveem outras grandiosas. No deserto, ele parece ter se esquecido disso, conforme acontece com a maioria de nós. Mas essa dinâmica é consistente com a maneira pela qual Deus cumpre seus propósitos. A aparente solidão no presente é necessária para o futuro.

Quando pressionado pelas multidões de gregos que iam vê-lo, Jesus se afastou, voltando a atenção para a cruz. Sem dúvida, isso foi inexplicável para muitos que o seguiam. Afinal, não era essa a antiga promessa, a de que as nações procurariam o reino de Deus? Era sim. E Jesus disse: "Eu lhes digo a verdade: se o grão de trigo não for plantado na terra e não morrer, ficará só. Sua morte, porém, produzirá muitos novos grãos" (Jo 12.24). Ao olhar para a cruz — seu momento de isolamento e solidão mais profundas — Jesus afirmou: "E, quando eu for levantado da terra, atrairei todos a mim" (Jo 12.32). A solidão no Getsêmani e no Gólgota eram necessárias para a comunidade no Pentecostes e na nova Jerusalém. Quer para Jesus, quer para Paulo, a linguagem do "remanescente" funcionava da mesma maneira, demonstrando que a integridade não é determinada pela popularidade.

A rejeição do evangelho pela multidão em torno de Jesus, disse ele, fora prevista pelo profeta Isaías, o qual recebeu a revelação de que o juízo de Deus seria visto na cegueira do povo a essa glória, a mesma que Isaías vira no templo e que João explicou ser o próprio Jesus (Is 6.1-13; Jo 12.36-41). Essa rejeição parece um fracasso, assim como a recusa da maior parte da comunidade da aliança em aceitar a pregação apostólica do evangelho. Mas isso sempre fora esperado. Conforme explica Isaías, tal condição persistiria até o solo ser desolado e queimado, até ser deixado apenas o toco de uma árvore derrubada, e desse toco surgiria um ramo (Is 6.11-13). A semente que cai silenciosa na terra cresce para se tornar a videira na qual o povo de Deus, tanto os israelitas naturais quanto os ramos externos enxertados, encontra vida e crescimento (Rm 9—11).

O apóstolo Paulo se posicionou sozinho contra falsos mestres e discípulos desagregadores. Quando Simão Pedro se recusou a comer com gentios na Galácia, Paulo entendeu do que se tratava: não era integridade, mas medo. "No começo, quando chegou, ele comia com os gentios. Mais tarde, porém, quando vieram alguns amigos de Tiago, começou a se afastar, com medo daqueles que insistiam na necessidade de circuncisão. Como resultado, outros judeus imitaram a hipocrisia de Pedro e até mesmo Barnabé se deixou levar por ela", escreveu Paulo. "Quando vi que não estavam seguindo a verdade das boas-novas, disse a Pedro diante de todos: 'Se você, que é judeu de nascimento, vive como gentio, e não como judeu, por que agora obriga esses gentios a viverem como judeus?'" (Gl 2.12-14). Paulo não era, nesse caso, um encrenqueiro que gostava de se isolar da comunidade. Em vez disso, assim como no caso de Elias, sua divergência era necessária a fim de ser coerente com a comunidade da qual era herdeiro. Conforme escreveu à igreja de Roma, foi cuidadoso em explicar que, por sua definição de pertencimento, até mesmo o próprio Abraão seria excluído, o qual foi considerado justo diante de Deus antes de ser circuncidado (Rm 4.1-25). Paulo não era pioneiro, mas herdeiro.

O caso de Pedro e dos que se associaram a ele representou um episódio passageiro de vacilo, que foi corrigido pela repreensão de outro apóstolo. Os falsos mestres, em contrapartida, eram alvo de forte repúdio da parte de Paulo, pois ensinavam falsamente que somente quem se adequasse à aliança por meio do sinal da circuncisão seria um verdadeiro herdeiro das promessas de Deus em Cristo. Em ambos os casos, porém, Paulo se opôs a eles, não para se diferenciar da comunidade, nem para defender a própria honra, inteligência ou fidelidade contra os causadores de polêmicas (algo que se recusou a fazer em outros lugares). Acerca dos falsos mestres, Paulo escreveu: "Não cedemos a eles nem por um momento, a fim" — e aqui vem o ponto crucial — "de preservar a verdade das boas-novas para vocês" (Gl 2.5). O evangelho falso parecia "normal" naquela época e lugar. Mas Paulo não pareceu se importar em ser aprovado e ficar em evidência em seu contexto imediato. Ele conhecia a lei, os profetas e o evangelho que havia recebido de Jesus.

Porque Paulo se posicionou sozinho, hoje podemos nos posicionar juntos. Isso significa números incontáveis de pessoas de toda tribo, nação, língua e povo, alguns de nós na terra agora e outros no céu. Assim como Elias com Acabe e Baal, Paulo poderia ter uma "comunidade" imediata se simplesmente aceitasse ou se silenciasse diante do que os mais tradicionalistas insistiam ser necessário para pertencer ao grupo. Contudo, se fizesse isso, acabaria sacrificando quem não tinha voz, não só as pessoas sem poder na Galácia daquela época, como também nós que sofremos a mesma condição milênios depois.

Isso inclui você.

E você tem o mesmo chamado, para o bem dos outros. Você deve pedir conselho para pessoas mais sábias do que você, mas não pode deixar de fazer o que Deus o chamou para realizar por medo de ser criticado ou porque as pessoas não estão prestando muita atenção. Não deve parar de dar aulas no projeto de alfabetização de pessoas carentes porque os outros consideram perda de tempo. Não deve parar a iniciativa de evangelização de refugiados porque as pessoas sentem medo deles. Não deve silenciar a ortodoxia e ortopraxia cristã só porque ela não tem sido vista por um tempo em seu campo missionário (ou, pior ainda, em sua igreja). Não importa o que Deus o chamou para fazer, reconheça que, se não houver pessoas odiando aquilo que você faz, é porque você não está realizando nada necessário. Você suporta críticas em prol daqueles a quem Deus o chamou para servir (às vezes, a versão futura desses mesmos críticos!).

No longo prazo, doar-se para a comunidade costuma significar solidão no curto prazo. Atanásio precisou se posicionar "contra o mundo" a fim de preservar a verdade da divindade de Cristo, quando todos pareciam negá-la. Martinho Lutero precisou divergir sozinho do monastério ao questionar se a venda de indulgências era coerente com o evangelho da graça revelado nas Escrituras. Roger Williams precisou andar sozinho nas florestas dos Estados Unidos durante o período colonial porque os líderes puritanos de Massachusetts não toleravam dissidência em questões de consciência. Tais figuras serviram não a despeito de sua solidão, mas em meio a ela.

Ao redor do mundo, movimentos dissidentes contra a tirania passam por ascensão e queda, muitas vezes sem que o restante da população se dê conta disso. Até mesmo agora, porém, trinta anos depois, uma imagem persiste como uma espécie de insígnia para gente de toda parte que busca a liberdade: um jovem chinês desconhecido de pé, sozinho na Praça da Paz Celestial, contra uma fileira de tanques de guerra. O mais extraordinário desse momento e que continua a chamar nossa atenção é o fato de que ele não fazia parte de um levante, uma insurreição ou um exército. Era apenas ele, desarmado e desacompanhado. Ainda assim, ali é que estava o poder. Parte do motivo que levou o mundo a prestar tanta atenção é o fato de que aquele ato não parecia fazer sentido. Por que alguém arriscaria a própria vida e seu lugar na sociedade sem ter recursos para revidar? E por que fazê-lo sem a segurança da manada? Sua coragem, mesmo em solitude, era empoderada por suas convicções, pelo poder de seus ideais — não de seu lugar de pertencimento. A tentação de cada ser humano é fazer o contrário: sacrificar o futuro aplacando o presente.

Com frequência, falamos sobre a necessidade da igreja de "contextualizar" — isto é, tornar nossa mensagem compreensível e até mesmo palatável — para as pessoas ao nosso redor. E essa é uma parte verdadeira da missão da igreja. Todavia, se formos fiéis ao evangelho, contextualizaremos não só ao presente (a despeito de quem esteja à nossa frente agora), mas também ao passado (à história de onde Deus encontrou seu povo) e ao futuro (àqueles que ainda não são cristãos ou quem sabe ainda nem nasceram). Diante de tudo isso, podemos nos posicionar com a força de nossas palavras e também de nossos silêncios. A tentação de qualquer um em meio a tudo isso é se desesperar e presumir que o evangelho acabou e o futuro é irrecuperável. Em todas as eras, porém, há um remanescente. E, em todas as eras, o remanescente tem um futuro.

Às vezes, quem está fora do reino consegue enxergar melhor esse princípio do que nós, do lado de dentro. Por exemplo, o especialista em liderança Seth Godin escreve sobre o que alguns chamam de "a resistência" — aquela pressão interior para não fazer o que sabemos ser necessário por medo de ser criticados ou excluídos — e explica o quanto isso é danoso. Tudo que perturba qualquer *status quo* é criticado, e o pioneiro é ameaçado de exílio. E nada será universalmente aceito e amado, a menos que seja, mais uma vez, o *status quo.* Cada mudança, porém, começa com pessoas dispostas a arriscar esse tipo de censura, para o bem daqueles que ainda virão. Ele escreve: "Se você satisfaz os normais, decepciona os estranhos. E, à medida que o mundo se torna cada vez mais estranho, essa é uma estratégia nada inteligente".[3] Na verdade, as coisas sempre foram assim (1Co 1.21-31; 4.1-20).

Isso não significa, de maneira alguma, que tudo aquilo que for contrário ao *status quo* está certo. Muitas vezes, o *status quo* é correto e fiel. Nesse caso, aqueles que tentam subvertê-lo estão em busca de derrubar aquilo que Deus edificou. Os adoradores de Baal dentro de Israel também começaram como um tipo de "remanescente", sendo posteriormente aceitos por toda a comunidade. É por isso que Elias dedicou tanto esforço em comunicar que ele não estava dizendo nada "novo", mas apenas chamando o povo de volta, conforme expressou Judas mais tarde, à "fé que, de uma vez por todas, foi confiada ao povo santo" (Jd 1.3).

Quando Elias confrontou os profetas de Baal, construiu um altar de doze pedras. Por que doze? As Escrituras revelam que foi assim a fim de ser "uma para cada tribo dos filhos de Jacó, a quem o SENHOR disse: 'Seu nome será Israel'" (1Rs 18.31). Isso ecoou à entrada do povo na terra prometida, através do Jordão. Josué pediu ao povo para escolher doze homens. Cada um deles carregaria uma pedra no ombro, "uma para cada tribo de Israel" (Js 4.5-6). Essa coluna de pedras seria um memorial de que a nação de Israel não surgiu por força própria, mas em cumprimento de uma promessa; que não começou como um povo poderoso, mas com doze filhos. Israel havia começado como um remanescente. Com frequência, a recusa a se conformar aos "costumes deste mundo", para usar as palavras de Paulo (Rm 12.2), não contribui somente com seu bem-estar. Também permite que você sirva outros no futuro, uma comunidade de pessoas cujo nome você ainda não conhece, rostos que é incapaz de ver e pessoas que talvez ainda nem tenham nascido, quanto mais renascido! Muitas vezes, é preciso passar pela solidão para chegar lá.

Todavia, assim como aconteceu com Elias, a coragem acaba revelando que, mesmo no momento da solidão mais profunda, não estamos tão sós quanto imaginamos. É claro que, no deserto, Elias estava perante a face de Deus, mas, com frequência, Deus nos está oculto. Elias contava não só com Deus a seu lado (embora, é claro, somente isso já bastasse), mas também com outros sete mil que, assim como ele, não haviam dobrado os joelhos aos ídolos. Os desdobramentos plenos dessa realidade só se evidenciariam no futuro, mas, em certo sentido, já eram uma realidade presente. "Preservarei sete mil de Israel" (1Rs 19.17), disse Deus, com a implicação clara de que pelo menos alguns deles já poderiam estar lá. Elias de fato não estava sozinho. E não importa o que esteja passando, você também não está.

Certo observador experiente de movimentos e tendências culturais me explicou que o principal desafio da próxima geração de cristãos não é uma série de opiniões a respeito de determinados assuntos, mas, sim, a resposta a uma pergunta simples: "Quando dizemos 'nós', a quem estamos nos referindo?". Se a resposta é um recorte populacional, uma facção política, um estado-nação ou um grupo étnico, estamos sem leme. Só conseguiremos encontrar comunidade nesses pequenos agrupamentos temporais se nos enxergarmos primeiro como o "nós" do corpo de Cristo. Mas essa comunidade transcende os limites de tempo e espaço.

É por isso que Hebreus diz: "Portanto, uma vez que estamos rodeados de tão grande multidão de testemunhas, livremo-nos de todo peso que nos torna vagarosos e do pecado que nos atrapalha, e corramos com perseverança a corrida que foi posta diante de nós. Mantenhamos o olhar firme em Jesus, o líder e aperfeiçoador de nossa fé. Por causa da alegria que o esperava, ele suportou a cruz sem se importar com a vergonha. Agora ele está sentado no lugar de honra à direita do trono de Deus" (Hb 12.1-2). Além de termos uma comunidade atrás de nós, no passado, um povo a quem Deus era fiel, tal comunhão continua a ser uma realidade presente, mesmo que não consigamos enxergar. E essa comunidade inclui o velho e solitário Elias. Sem citar nomes, o autor de Hebreus fala sobre aqueles de quem "este mundo não era digno", os quais passaram a vida vagando "por desertos e montes, escondendo-se em cavernas e buracos na terra" (Hb 11.38). Após passar por um período de solidão, descobrimos que, com frequência, Deus nos une com uma comunidade de pessoas que também enfrentaram a solidão e percebemos que, não raro, não é a comunidade que nós mesmos escolheríamos.

Deus fez isso com Elias ao conduzi-lo a Eliseu, o qual se tornaria seu filho na fé. Mas Elias já havia visto Deus agir assim antes. Depois de Elias ter anunciado o julgamento inicial sobre Acabe, Deus o mandou fugir para o leste, rumo ao Jordão, e depois para Sarepta, onde conheceu uma viúva. Na maioria das vezes, concentramo-nos no fato de que Elias ajudou essa mulher. E ele de fato o fez, provendo milagrosamente azeite no jarro e depois ressuscitando seu filho (1Rs 17.8-24). Por vezes, porém, não enxergamos que a viúva também resgatou Elias, o alimentou, abrigou e aliviou sua solidão (1Rs 17.15).

O mais irônico é que essa era a terra de Baal e dos deuses estrangeiros. Enquanto estava na terra de Deus, Elias viu Baal. Enquanto estava na terra de Baal, Elias viu Deus. Deus formou uma comunidade bem diferente da esperada — uma comunidade que, assim como Elias, não estava no centro, mas à margem. Foi para essa dinâmica que Jesus apontou em seu sermão inaugural na sinagoga de Nazaré. Por isso ele disse: "Nenhum profeta é aceito em sua terra" (Lc 4.24, NVI), declaração que tem sido muito incompreendida ao longo dos anos. Alguns interpretam que não se pode ministrar a pessoas que trocaram sua fralda quando bebê, já que o sujeito não será respeitado. Isso pode acontecer ou não, mas não tem nada a ver com o que Jesus estava dizendo. Em vez disso, Jesus confrontou exatamente o mesmo que Elias: a ideia de uma religião popular usada como ferramenta de conservação dos interesses da comunidade. O contexto era a exigência de que Jesus operasse sinais e maravilhas para seus conterrâneos assim como fizera em outros lugares, quase que como uma forma de "prestação de serviço aos eleitores". Contudo, Jesus se isolou, deixando claro que a comunidade formada por Deus não necessariamente está de acordo com a linguagem natural de sangue e terra natal. "Por certo havia muitas viúvas necessitadas em Israel no tempo de Elias, quando o céu se fechou por três anos e meio e uma fome terrível devastou a terra". Jesus ensinou. "E, no entanto, Elias não foi enviado a nenhuma delas, mas sim a uma estrangeira, uma viúva de Sarepta, na região de Sidom" (Lc 4.25-26).

Isso, é claro, é o que Jesus faz não só com Elias, mas o tempo inteiro. Durante o início de seu ministério terrestre ele formou uma comunidade incoerente, composta por homens que haviam sido pescadores na Galileia, publicanos que colaboravam com Roma, zelotes que agiam em resistência contra Roma, líderes religiosos versados na lei, prostitutas excluídas da comunidade. Após ressuscitar, fundou uma igreja formada por judeus e gentios, unidos em uma nova humanidade, organicamente parte do mesmo corpo, no qual cada membro precisa dos outros. Essa dinâmica estava em ação quando Jesus chamou um futuro assassino em sério a caminho de executar a igreja da Síria e o transformou em apóstolo às nações. E a primeira coisa que Jesus fez foi garantir que o novo converso recebesse os cuidados de um cristão sírio. Nenhuma das partes recebeu essa ideia de bom grado, por razões óbvias. Mas Jesus formou uma comunidade improvável, que só poderia ser forjada com base na solidão da margem. E essa comunidade apontava para rupturas ainda por vir, em meio às quais seria necessário que o solitário Paulo se erguesse sozinho para defender uma comunidade ainda por nascer.

A fim de que tudo isso aconteça, primeiro é preciso um exílio, uma separação dos vínculos "normais" da comunidade, para que o indivíduo, quem sabe até mesmo por desespero, encontre comunidade onde menos se espera. Pense nos momentos mais solitários de sua vida e nas pessoas que Deus lhe enviou. É bem provável que não sejam as pessoas que você mesmo teria escolhido.

Isso acontece porque as comunidades das quais dependemos costumam ser naturais, isto é, formadas por elos familiares, geográficos, por interesses ou circunstâncias em comum. O evangelho não erradica nada disso, de maneira alguma. Jesus se importava com sua mãe e fez questão de providenciar alguém que cuidasse dela após sua partida, até o fim da vida, e nos ordena a fazer o mesmo. Mas, quando esse é o único tipo de comunidade que conhecemos, ele pode facilmente se degradar naquilo que vemos ao nosso redor: "comunidades" utilitárias, nas quais cada pessoa existe apenas por causa daquilo que pode "fazer" por nós. Isso não nos aproxima do amor.

A fim de aprender a amar de maneira semelhante a Cristo, em sacrifício pessoal — até mesmo por aqueles que amaríamos "naturalmente", mesmo se Deus não existisse — precisamos aprender a amar aqueles de quem não "precisamos", aqueles que nem enxergaríamos em outras circunstâncias e quem sabe até aqueles que fomos ensinados a odiar. Isso é verdade sobretudo em uma era na qual, conforme expressou C. S. Lewis certa vez, "a conveniência tomou o lugar da amizade".[4] O que ele quis dizer com isso foi que, consciente ou inconscientemente, temos a tendência de formar relacionamentos com as pessoas desse jeito utilitário, segundo o qual determinamos seu valor principalmente com base naquilo que podem fazer por nós. Talvez você tenha passado por isso, percebendo que a bondade de alguém em relação a você era apenas para garantir uma conexão romântica com um amigo, ou uma promoção no trabalho, ou votos em uma campanha política, ou qualquer outro meio para um fim. É provável que, em algum momento, alguém diga coisas do tipo: "Eu me sinto tão usado!". E todos nós sentimos, em algum momento, que estamos sendo manipulados, que alguém está usando os recursos da conexão humana para tirar alguma vantagem de nós.

A única vez que vi minha mãe ficar brava de verdade aconteceu quando éramos pequenos. Um fotógrafo tirou fotos nossas e tentou convencê-la a comprar o pacote mais caro. Quando minha mãe recusou, a vendedora disse: "Espero que nenhum dos seus preciosos filhos seja atropelado e morra, pois, se isso acontecer, você sentirá o desejo de ter tantas fotografias quanto possível".

Minha mãe a repreendeu com calma, mas muita firmeza. Pegou-nos pela mão e fomos embora. Reconheceu corretamente que aquela pessoa estava usando cinicamente o medo da perda e do luto para mero ganho comercial. Aproveitava-se de algo sério e sagrado para seus próprios fins. A maioria das pessoas não é tão aberta em suas estratégias de manipulação, mas todos já tivemos a sensação de ser tratados dessa maneira. E isso nos leva a perguntar: onde mais estou sendo usado sem perceber?

Às vezes, é necessária uma visão nova ou renovada. Wendell Berry escreveu: "Para que a mudança aconteça, ela precisa vir de fora. Precisa vir das margens". Afinal, conforme observa o mesmo autor: "Foi o deserto, não o templo, que nos deu os profetas; a colônia, não a terra-mãe, que nos deu Adam e Jefferson". Berry explica que a marginalização é necessária para dar perspectiva do que realmente importa, longe das urgências do sustento e da posição na comunidade. "A estrutura religiosa incrustada não é alterada pelos dependentes da instituição — eles fazem parte da crosta", escreveu. "Ela é mudada por aquele que vai só ao deserto, onde jejua, ora e volta com a visão purificada." Quem vai para as margens, porém, não deve ser um opositor ou ranzinza, muito menos alguém que se enfurece contra a revelação e autoridade corretas. Conforme conclui Berry: "Ele volta para a comunidade, não necessariamente com uma verdade nova, mas com uma nova visão da verdade; ele a enxerga de forma mais completa do que antes".[5] As Escrituras e a história desde então revelam esse padrão.

De fato, a comunidade bíblica não diz respeito a posição ou poder, mas a algo completamente diferente. Após peregrinar como Elias pela Arábia, Paulo disse à igreja da Galácia que estivera em Jerusalém, onde se reuniu com Tiago, irmão de Jesus, e outras figuras importantes da igreja. No entanto, essa não era a base de sua autoridade, já que ele havia aguardado três anos na Arábia e voltado a Damasco antes de ir a Jerusalém. Então, anos mais tarde, foi se encontrar com esses líderes proeminentes. "Quanto aos líderes — cuja reputação, a propósito, não fez diferença alguma para mim, pois Deus não age com favoritismo —, nada tiveram a acrescentar àquilo que eu pregava" (Gl 2.6). Paulo deixa claro aqui que ele e os apóstolos faziam parte da mesma missão e se tratavam assim. De maneira nenhuma ele tenta se esconder sob a influência da fama impressionante deles. E, ao partir para cumprir sua missão às nações sob a bênção dos outros apóstolos, escreveu: "Sua única sugestão foi que continuássemos a ajudar os pobres, o que sempre fiz com dedicação" (Gl 2.10).

Por que os pobres eram tão importantes para Paulo e os outros apóstolos? Porque operavam de acordo com um ponto de vista de longo prazo acerca da influência e da comunidade — e, quando falo em "longo prazo", refiro-me a trilhões e trilhões de anos. Os pobres não são apenas carentes de recursos, mas também permanecem às margens de qualquer comunidade porque não têm o poder de fazer algo para ninguém. Provérbios diz: "Quem ajuda os pobres empresta ao SENHOR; ele o recompensará" (Pv 19.17). Os pobres não têm condições de contribuir com os aspectos carnais do poder, em torno dos quais depende parte tão grande da "comunidade", conforme é preciso reconhecer.

Ninguém pode se deleitar no transbordar de glória dos pobres e marginalizados, pois eles não têm nada disso. Em vez disso, para encontrar comunidade ali, é preciso reconhecer o que Tiago escreveu: "Ouçam, meus amados irmãos: não foi Deus que escolheu os pobres deste mundo para serem ricos na fé? Não são eles os herdeiros do reino prometido àqueles que o amam?" (Tg 2.5). Quando encontramos comunidade com a mãe solteira que não sabe de onde virá seu próximo salário, ou com o ex-viciado em heroína em recuperação que está a um passo de ter uma recaída, ou com a família de refugiados que está lutando para aprender a nova língua e desconsiderar os insultos daqueles que veem sua presença como ameaça, ou com a jovem com transtorno de desenvolvimento cuja mãe desejaria ter abortado, começamos a reconhecer como o reino de Deus chega. E, quando não só servimos tais pessoas (como Elias à viúva de Sarepta) mas também somos servidos pelos dons que Deus concedeu a elas (como a viúva serviu Elias), começamos a perceber que nosso lugar no reino de Deus não se baseia no lado transacional, como costuma acontecer em tantas comunidades humanas caídas, mas em outra coisa: no amor do Pai, no sangue do Filho e na unidade do Espírito. Muitas vezes, a fim de nos levar até lá, Deus precisa dissolver essas comunidades transacionais que servem apenas a si mesmas, com o objetivo de nos conduzir ao amor autêntico. É assim que a comunidade do evangelho costuma se unir, passando pelo suplício da solidão. É amedrontador, mas necessário.

No cristianismo, isso é especialmente importante porque as perturbações ao *status quo* e o apelo para que a comunidade volte ao "primeiro amor" (Ap 2.4) são o que mantêm a igreja alicerçada nas Escrituras transcendentes, não em formas naturais de pertencimento e ajuste.

É por isso que certo sociólogo advertiu, no meio do suposto "século cristão", que a "América cristã" havia criado uma religião na qual esta era valorizada por ajudar as pessoas a se "ajustar". A América cristã ensinava as pessoas a permanecer "em paz na sociedade e no universo" e, por isso, tornava "incompreensível" o "zelo" de figuras como Elias, Amós ou Jesus. Isso acontece porque o propósito dessa forma nominal de religião era "proteger o indivíduo de tais perigos", isto é, dos perigos da solidão, do isolamento e da "estranheza". E, de fato, "protege tão bem que torna a fé profética da Bíblia quase ininteligível".[6] Sempre que isso acontece, Deus encontra uma voz para dizer: "Ei, você!" — a pessoa que precisará se erguer sozinha no juízo e não pode se esconder no meio da multidão

— "Você precisa nascer de novo". Quando nos encontramos à vontade no cosmo, Deus nos lembra, em geral por meio de uma voz no deserto, de que não temos uma terra pátria constante aqui, mas buscamos uma cidade diferente (Hb 11.13-16).

Aliás, os estudos demonstram que um fator-chave na inabilidade de entender a realidade com precisão tem a ver com a prática de determinados indivíduos de todos os tipos de se absorver em redes de pessoas exatamente iguais a eles, fenômenos que alguns pesquisadores chamam de "homofilia".[7] Tudo indica que o raciocínio de "farinha do mesmo saco" nos leva a uma condição na qual não conseguimos interpretar com precisão a nós mesmos, nem o mundo ao redor. Talvez seja por isso que Deus criou os seres humanos para viver em comunidades nas quais há tanto semelhanças quanto diferenças. "Não é bom que o homem esteja sozinho", disse Deus no princípio (Gn 2.18). A resposta de Deus não foi criar um reflexo idêntico, um clone de Adão. Em vez disso, deu origem a alguém que é, ao mesmo tempo, "osso dos meus ossos, e carne da minha carne" (Gn 2.23), mas diferente. Da mesma maneira, a igreja que Jesus uniu inclui as semelhanças da experiência humana em comum, que mistura dignidade criada a necessidade pecadora, mas as diferenças entre homem e mulher, judeu e grego, e assim por diante se misturam dentro da unidade misteriosa do mesmo corpo (Gl 3.28-29).

No fim de tudo, porém, Deus tem o propósito de unir, em nossa vida, o pessoal e o comunitário. No propósito divino, o pessoal é necessário para a verdadeira comunidade. Não podemos ser um bando de abelhas em uma colmeia e amar a Deus de maneira genuína. De igual maneira, no propósito divino, a comunidade é necessária para o pessoal. Não podemos ser quem realmente somos sem a experiência de amar e ser amados, servir e ser servidos. Em certo sentido, nem é necessário revelação para entender isso. Os psicólogos falam sobre a necessidade que os adolescentes sentem de "individuação", ou seja, de descobrir que valores e princípios são de fato deles e quais são mera imitação dos pressupostos dos pais, sem questionar. É por isso que os pais não devem entrar em pânico quando os filhos, ao atingir determinada idade, começam a parecer confusos. Pode ser um tumulto no momento, mas esse tipo de descoberta é muito melhor nessa época do que na meia-idade. Outros falam sobre a necessidade da maturidade encontrada na "diferenciação dentro de um relacionamento, não independência do mesmo".[8] Isso significa uma combinação de separação e proximidade, na qual a pessoa evita tanto a "ruptura" (a separação dentro do próprio refúgio) quanto a "fusão" (absorção dos pensamentos, sentimentos, da identidade ou até mesmo da consciência individual por algum grupo). Embora qualquer um possa observar essa necessidade, o evangelho — remontando ao solitário Elias no deserto e além — nos explica por que isso acontece.

Em Cristo, Deus uniu o pessoal e o comunitário. No evangelho, entendemos que não podemos nos esconder em nossa tribo, linhagem, etnia, família ou religião. Em vez disso, precisamos entrar um por um na família de Deus, por meio da novidade de vida do novo nascimento (Jo 3.3). Não nascemos no vácuo, mas em um reino, uma família. Como um corpo, a igreja funciona em conjunto, servindo uns aos outros e adorando o mesmo Senhor (1Co 12.12-31). No entanto, para o bem da comunidade passada e da comunidade futura, às vezes vozes solitárias precisam falar isoladamente, chamando as pessoas a se afastar da manada e se dirigir ao caminho estreito. O fato de que os lugares mais "cristianizados" dos

Estados Unidos estão também entre os mais solitários deveria ser alarmante para nós. É um retrato do quanto nos afastamos da imagem bíblica do evangelho, que equilibra o pessoal e o comunitário, ser um e ser muitos, o indivíduo e a comunidade. Somente em Cristo nós somos em Cristo, juntos. E, em Cristo juntos, permanecemos somente em Cristo.

Eu estava errado em relação à música "Me and Jesus". Em alguns aspectos, porém, talvez o homem que a escreveu também. Por mais que tenha dito que não precisava da igreja e podia prosseguir sozinho, ele não conseguia cantar a música assim. Tom T. Hall escreveu que, quando criança, não ia à igreja, mas cresceu se assentando na varanda nas manhãs de domingo ouvindo a Igreja Metodista Unida de Mount Pisgah, congregação afro-americana que ficava a menos de um quilômetro de sua casa, cantar seus hinos. Foi a essa memória que ele recorreu quando um colaborador o advertiu de que a música "Me and Jesus" precisaria de um "coral poderoso de fundo".[9]

Assim, no dia da gravação, cantores negros e brancos gravaram juntos, algo que jamais seria permitido de acordo com as normas culturais da comunidade do Kentucky onde Hall passou a infância. Tais normas comunitárias separavam aquelas pessoas, porém "Me and Jesus" foi capaz de uni-las. É claro que somente isso não resolveria a segregação e a injustiça racial. Seriam necessárias muitas outras vozes em coro para isso. Mas de sofrimento e isolamento, muitas vezes causado por uma comunidade sufocante que pressiona para a conformidade, aqueles desabrigados em meu pequeno rebanho não convencional entendiam, mesmo quando seu pregador não tinha o mesmo discernimento.

Reunir coragem significa por vezes se posicionar sozinho e se unir a comunidades que você jamais escolheria por conta própria. E coragem também significa que a comunidade genuína emerge, com frequência, da solidão profunda. Muitas vezes, a solitude no curto prazo é o meio para pertencer. É por isso que nossos encontros mais intensos com Jesus acontecem quando nos sentimos mais solitários, tão somente para descobrir que ele permaneceu ao nosso lado o tempo inteiro e nos guia para outros que também estiveram sós. Precisamos aprender a cantar com uma multidão que ninguém é capaz de contar, com a igreja através dos milênios, fazendo a ponta entre o céu e a terra. No caminho, porém, aprendemos que, entre esses dois pontos, há momentos de solidão profunda, quando descobrimos que nosso público supremo é somente Aquele perante quem nos posicionaremos no fim.

Quando prestarmos atenção, ouviremos vários cantores do coral no pano de fundo da música de nossa vida e perceberemos que nós estamos cantando no coral de incontáveis outras vidas. Descobriremos que precisamos aprender a cantar "Me and Jesus", mas perceberemos que não podemos fazê-lo sozinhos.

7

Coragem e justiça

....

Retidão em meio à irrelevância

Há vários anos, uma igreja evangélica de brancos em Birmingham procurou um amigo meu para uma consultoria. Os membros queriam saber por que sua congregação estava passando por um declínio tão acentuado, levando em conta seu histórico tão conhecido de sucesso. No dia do bombardeio de uma igreja batista localizada na rua 16, do outro lado da cidade, provocado por supremacistas brancos e cujo ataque terrorista matou quatro meninas, a igreja de brancos estava com os bancos lotados e a tesouraria cheia de recursos. Na manhã daqueles assassinatos, é provável que a igreja de brancos tenha permanecido em silêncio. Muitos dos adoradores daquela igreja de brancos provavelmente refletiram sobre os pontos de vista ao seu redor, de que a luta por direitos civis era um problema "político", causado por "agitações externas" provavelmente inspiradas por "marxistas". Enquanto os manifestantes favoráveis aos direitos civis foram espancados e atacados com água esguichada pelas mangueiras do corpo de bombeiros nas ruas, enquanto crianças que frequentavam a escola dominical viam o rosto de Jesus no vitral colorido estourar em pedacinhos, poucos segundos antes de contemplar sua face real na eternidade, a igreja de brancos sem dúvida concluiu que deveria evitar se envolver com "política" e "justiça social". Era isso que os liberais faziam. Eles, ao contrário, atinham-se à "pregação do evangelho puro e simples".

Nem é preciso mencionar que os membros daquela igreja não faziam objeção alguma a todo tipo de outros pronunciamentos "políticos", por exemplo, sobre as decisões da Suprema Corte proibindo orações dentro das escolas. Mas qualquer coisa além de uma vaga abstração sobre algo que a Bíblia menciona sem qualquer ambiguidade e repetidas vezes — a humanidade que é "um só sangue" à imagem de Deus, a necessidade de reconciliação no corpo de Cristo, justiça para todos os oprimidos — criaria um alarde dentro da congregação. Haveria polêmica — que talvez resultasse na demissão quase unânime do pastor e quem sabe no isolamento social dos diáconos — caso a igreja ousasse abrir o rol de membros para cristãos negros ou quisesse batizar afro-americanos que aceitassem a fé em Cristo.

Com o passar dos anos, a região se tornou majoritariamente povoada por negros. A congregação se reduziu a um pequeno grupo de brancos idosos que agora moram em bairros residenciais de classe média e alta e vão para lá de carro aos domingos. Disseram que tentaram "alcançar" os vizinhos afro-americanos, mas não conseguiram despertar interesse. O que não conseguiam enxergar era que a igreja já havia transmitido sua mensagem para aqueles vizinhos — lá na época em que não precisava deles para sobreviver.

O que estava por trás da relutância em fazer a coisa certa? Para muitas igrejas, sem dúvida era a cegueira moral, uma acomodação ao mundo ao redor de tal forma que não conseguiam enxergar o que havia de errado com o que estavam fazendo. Para outros, era uma escolha voluntária de obedecer aos ditames de Jim Crow em lugar de Jesus Cristo, cientes de que seu coração estava desobedecendo à vontade do Senhor. Certamente, porém, havia aqueles cuja consciência sabia que o padrão ao seu redor estava errado. Para muitos, o ímpeto por trás dessa conduta era o medo de perder a relevância.

Afinal, o líder que se posicionava contra o "estilo de vida sulista" perdia seu lugar no ministério imediatamente. E os leigos que o faziam podiam ser tachados de "esquisitos", na melhor das hipóteses, ou de "liberais" e subversivos no pior dos cenários. Alguns provavelmente criam que algo deveria ser feito em algum momento contra aquelas injustiças, mas sentiam que precisavam conservar a própria relevância nesse processo. É possível que pensassem: "Se eu partir, apenas me substituirão por alguém abertamente racista, que jamais conduzirá a igreja para onde ela necessita". Buscavam proteger sua "relevância" para as pessoas nos bancos. Talvez a própria igreja em si entendesse que esse tipo de segregação estava errado, mas concluíam que, se aceitassem membros negros, perderiam condições de alcançar as pessoas brancas da região, a maioria, que se sentiriam "desconfortáveis" em uma igreja integrada, com medo de que seus filhos um dia se apaixonassem e desejassem se casar com alguém não branco. Além disso, a igreja provavelmente achava que falar desses assuntos "entraria em um ouvido e sairia pelo outro", já que as pessoas não veriam a relevância de tais preocupações em sua vida. A ironia é que essa igreja não só eliminou sua integridade moral com esse tipo de conduta, como também acabou perdendo, no longo prazo, exatamente aquilo que queria preservar: a relevância. A cumplicidade com a injustiça não só os colocou do lado contrário de Jesus, como também sacrificou seu futuro, no intuito de conciliar o presente.

Por trás de tudo isso, havia uma visão distorcida do que é de fato "importante" e "significativo". Em Apocalipse, a "besta" com poder e influência e os falsos profetas que a elogiam parecem ser influentes. Mas aqueles que se assentam nos únicos tronos que sobreviverão ao apocalipse são os mártires decapitados, os últimos com quem as pessoas gostariam de ser vistas ou associadas, por medo de perder a cabeça também. Ainda assim, foram os únicos a reinar com Cristo (Ap 20.4). E ainda reinam.

Veja bem, é fácil demais olhar para o passado e perceber como as gerações anteriores aceitaram injustiças. Essa foi a advertência clara de Jesus aos líderes religiosos de sua época: "Constroem túmulos para os profetas, enfeitam os monumentos dos justos e depois dizem: 'Se tivéssemos vivido no tempo de nossos antepassados, não teríamos participado com eles do derramamento de sangue dos profetas'" (Mt 23.29-30). Mas a verdade é que esse fenômeno de recuar diante da injustiça não é algo isolado de alguma geração anterior; antes, acontece o tempo inteiro, em todas as eras. E essa espécie de acomodação não é o caso apenas em questões geracionais definidoras da injustiça social, como o regime de segregação racial, mas costuma acontecer nas decisões mais silenciosas e comuns da vida cotidiana.

Às vezes, a dificuldade provém de não saber a coisa certa a se fazer. Com frequência, há circunstâncias em que isso se torna um verdadeiro dilema. O cristão que trabalha com inteligência militar passa por um dilema para definir se está mentindo ao assumir uma identidade secreta como alguém que pertence a outra religião, por exemplo, e precisa "cultuar" com outros. Pense no casal que adquiriu a convicção de que a vida humana começa na concepção, mas agora não sabe o que fazer com os embriões que fertilizaram anos antes quando fizeram tratamento para engravidar e que hoje estão congelados. Ou pense na mulher que se pergunta se as infidelidades repetidas do marido, que sempre alega estar arrependido, são uma justificativa bíblica para o divórcio. Sempre haverá momentos em que queremos fazer a coisa certa, se tão somente conseguirmos discernir qual ela é.

Contudo, o maior desafio para uma vida de coragem não está nesse tipo de situação, mas naquela mais típica, na qual sabemos, lá no fundo da consciência, qual é a coisa certa a se fazer, porém nos falta a coragem. Às vezes, conforme vimos anteriormente, a timidez provém do medo do poder de outra pessoa ou de perder nosso lugar na comunidade. Não raro, porém, não é só isso que nos afeta, mas também a sensação de que a injustiça parece permanente. Essa aparente permanência leva muitos a concluir que as práticas ou estruturas injustas são "apenas o jeito que o mundo é" e que assumir um ponto de vista "realista" envolve a simples aceitação dessas coisas. Começamos então a concluir que tudo aquilo que é injusto faz parte da normalidade. Ou sentimos desespero, ao achar que não há nenhuma possibilidade de que essas coisas mudem.

Junto com isso vem a tendência de buscar conservar a própria "relevância" para o "mundo real". Em tais casos, nossa interpretação de "como as coisas são e sempre serão" empodera a covardia, não a coragem. E, com frequência, isso está ligado a saber qual grupo consideramos importante para nosso *status* e qual grupo é dispensável para a manutenção desse *status*. Pense, por exemplo, no estudante de ensino médio que vê a colega solitária vítima de *bullying* sentada sozinha no refeitório, mas fica com medo de sentar do lado dela, temendo ser ele também excluído do grupo de amigos e se tornar solitário como ela. Infelizmente, essa tendência não desaparece após a formatura, mas é um impulso persistente ao longo da vida inteira.

Até mesmo nos asilos, a mesma dinâmica acontece: "Sério mesmo? Você sentou com a Gertrudes? Você gosta dela?". Assim, o que a maioria das pessoas faz é simplesmente se acomodar a "como as coisas são", adaptando não só os próprios atos, mas, com o tempo, até a consciência à "realidade" de tal maneira que, após um período, não lutam mais internamente com a moralidade de suas escolhas. E alguns trabalham contra a injustiça até se exaurir, perguntando-se, quando olham em volta e veem a persistência da injustiça, se todos os seus esforços não foram um desperdício de tempo e energia. Alguns se acostumam com a injustiça, e outros se sentem exaustos por causa dela.

Quando sentimos e reconhecemos a injustiça constante — sem ter o menor vislumbre de qualquer solução à vista — é normal nos sentirmos incomodados, perguntando-nos se ainda é possível confiar em qualquer uma das instituições, relações ou normas morais dos quais dependíamos para nos manter seguros. Uma palavra que as pessoas costumam usar para descrever esse tipo de sentimento é "abalado". Depois da absolvição pelo júri de um homem com evidências esmagadoras de ter cometido assassinato, uma familiar da vítima expressou o quanto isso "abalou" sua "fé no sistema". Já ouvi declarações semelhantes de pessoas que viram alguém ser condenado por um crime e ficar preso por anos até finalmente ter a inocência provada. Se tais atos de injustiça podem acontecer nos sistemas nos quais confiamos para nos proteger, então, segue o raciocínio, quem de fato está seguro? Esse tipo de crise pode acontecer em qualquer lugar: na família, no bairro, no governo, na igreja, no ambiente de trabalho.

Essa realidade está por trás do encontro de Elias com Deus no monte. Sua reclamação não foi só ligada a seu futuro pessoal perigoso, mas também uma questão de justiça, a saber, de zelo frustrado. Após o instante de silêncio no monte, Deus reiterou a mesma pergunta de antes: "O que você faz aqui, Elias?". E Elias disse, mais uma vez: "Tenho servido com zelo ao SENHOR, o Deus dos Exércitos. Contudo, os israelitas quebraram a aliança contigo, derrubaram teus altares e mataram todos os teus profetas. Sou o único que restou, e agora também procuram me matar" (1Rs 19.14). O conceito de zelo é proeminente tanto no Antigo quanto no Novo Testamento, e tem o potencial de ser incompreendido em nosso contexto.

Tendemos a pensar em "zelo" em termos de entusiasmo e empolgação, bem como na acepção de um sentimento possessivo por algo. "Ela é muito zelosa com a nova iniciativa de *branding* da empresa" ou "Ninguém zela tanto pela instituição quanto ele". No contexto de Elias, porém, "zelo" conota não só entusiasmo, mas um tipo específico de motivação focada em prol da justiça, isto é, em prol da correção da ordem das coisas. O zelo de Elias não havia levado a esse tipo de retidão. Em vez disso, ali estava ele, definhando novamente às margens da nação. A falha de Elias não era, em seu ponto de vista, apenas relativa a sua própria vida, mas uma falha da justiça.

No entanto, a reação de Deus não foi confortar Elias, mostrando sua relevância por meio de um panorama que lhe explicasse por que ele era mais bem-sucedido do que imaginava. Em vez disso, Deus afastou a atenção de Elias de si mesmo e lhe deu a missão de procurar e ungir três pessoas — Hazael como rei da Síria, Jeú como rei de Israel e Eliseu como profeta no lugar de Elias — por meio das quais Deus faria justiça. A casa de Acabe parecia se esquivar da justiça, mas estava a caminho de uma prestação de contas. E, nessa resposta enigmática, Deus revelou algo sobre "o que", "quem" e "como" da justiça — perguntas que permanecem conosco, se não na superfície, então logo antes dela em sua vida neste exato momento.

O que da justiça era, antes de mais nada, um lembrete de que Deus é, de fato, um Deus de justiça, e que isso é importante para ele. Elias pareceu concluir que não havia mais nada que pudesse ser feito. A nação tinha seguido o direcionamento do rei, e tudo que havia restado para Elias fazer — como o último a se posicionar — era desaparecer por meio da morte. Mas Deus previu outro cenário, que o restante dos livros de Reis mostraria em sua narrativa. Hazael de fato viria em terror ao ataque do Israel desobediente. E Jeú seria aquele que não só eliminaria Jezabel, como também desmantelaria por completo a dinastia de Acabe, transformando os altares de Baal em latrina (2Rs 9.30—10.27).

Esses dois reis dificilmente podem ser considerados heróis da história. Hazael assumiu o trono após sufocar um homem doente até a morte com uma coberta. Jeú acabou seguindo algumas das mesmas velhas práticas idólatras de seus antepassados. Alguns já sugeriram que, se Deus trabalhou com pessoas imorais dessa maneira, é um sinal de que os cristãos devem aderir a meios imorais para obter um fim justo, algo que Deus proíbe expressamente (Rm 12.21). Deus é soberano sobre a vida e a morte, sobre meios e fins, de maneira que nenhum ser humano é. E Deus escolheu tais indivíduos para executar juízo sobre seu próprio povo da aliança, assim como usaria mais tarde os assírios, babilônios e romanos. Aliás, Deus usa até mesmo atos do diabo (feitos pelo diabo com maldade intencional) contra ele e os redireciona para propósitos da graça e glória divina. Sem dúvida, isso não é sinal de que os cristãos devem orar ao diabo (Deus, literalmente, nos livre!) a fim de realizar bons propósitos. A questão é que Deus encontraria uma forma definitiva de garantir a queda da casa de Acabe, que parecia tão permanente. Era importante Elias saber disso exatamente naquele momento para não mergulhar no desespero e na resignação, ou, quem sabe, em uma espécie de acomodação silenciosa sobre "o jeito que as coisas são".

Isso é importante porque os atores de qualquer injustiça ou imoralidade sempre o fazem fingindo que tais atos são inevitáveis e permanentes. As consequências de participar de tais coisas, por não serem imediatamente perceptíveis, parecem estar ausentes por completo. Por isso, no primeiro livro da Bíblia, a serpente do Éden foi capaz de dizer: "É claro que vocês não morrerão!" (Gn 3.4) se transgredirem o mandamento de Deus. E, no último livro das Escrituras, a multidão (inclusive o ofício de "profeta") diz: "Quem é tão grande como a besta? [...] Quem é capaz de lutar contra ela?" (Ap 13.4). Esse aparente senso de impotência é usado como arma para realizar aquilo que a consciência sabe ser imoral ou injusto. Isso não precisa acontecer em um evento cósmico que parece sair de um apocalipse de proporções bíblicas. Acontece todos os dias, por exemplo, quando um funcionário morre de raiva por dentro, mas não faz nada ao saber que o supervisor rouba dinheiro da firma, explode em abuso verbal contra os subordinados ou assedia sexualmente as mulheres que trabalham com ele. A mensagem implícita é: "É assim que as coisas são, e sempre serão. Se você quer manter sua posição ou progredir, precisará engolir a indignação e ficar de boa com tudo isso".

Contudo, o primeiro passo rumo à justiça é desvendar que os poderes por trás da injustiça não são tão permanentes quanto pretendem ser. A ilusão de inevitabilidade e invencibilidade se rompe. Jesus falou sobre um homem rico que armazenava suas riquezas em celeiros e, satisfeito, disse consigo mesmo: "Amigo, você guardou o suficiente para muitos anos. Agora descanse! Coma, beba e alegre-se!", ao que Deus respondeu: "Louco! Você morrerá esta noite. E, então, quem ficará com o fruto do seu trabalho?" (Lc 12.19-20). O homem cria que sua realidade presente sempre seria o caso e foi esmagado por sua total impermanência. Essa foi a mensagem que Deus dava aos governantes, do faraó a Nabucodonosor e Belsazar. Mesmo pessoas sem conhecimento bíblico usam algumas expressões e fatos ligados a esse relato: "pés de barro", ou "escrita na parede", ou "pesado na balança e achado em falta". Isso se estende à imagem da grande Babilônia, que parecia tão rica e permanente, mas, em uma hora, se tornou ruína no mar (Ap 18.10).

Não se trata de uma mera advertência a poderes que se exaltam, mas também encorajamento àqueles que sofrem opressão. Na sangrenta "Revolução Cultural" liderada pelo Partido Comunista Chinês, a supressão brutal da religião tinha o objetivo de desmantelar qualquer alternativa de lealdade ao ditador Mao Tsé-Tung. Mao assumiu o papel de uma espécie de deus em um culto à personalidade. Contudo, conforme alguém observou: "Há um problema com Mao como deus vivo: ele morreu".[1] A morte não libertou o país da tirania, mas foi um lembrete — tanto para os que haviam mergulhado no maoísmo quanto para os dissidentes — de que nenhum ser humano e nenhum império humano são permanentes. Essa foi a mensagem de Deus para Elias: ele tinha um plano para o mundo de Acabe e Jezabel chegar ao fim, e, ao incluir Eliseu na lista dos próximos protagonistas, o Senhor enfatizou que esse fim seria resultado da Palavra de Deus. As injustiças dos poderes instituídos pareciam imutáveis, sem restar ninguém que pudesse divergir, mas, conforme dizia um pregador da minha denominação há vários anos, "um dia a conta chega".

Tanto quanto sabemos, Deus não revelou nesse encontro qual seria o evento que levaria ao conserto dos males. Mas percebemos posteriormente no texto que a roda da justiça foi colocada em movimento por meio de um ato odioso de injustiça da parte de Acabe e Jezabel. O evento que precipitou tudo foi o confronto de Elias com Acabe por causa da vinha de um camponês. Nesse encontro, Acabe foi provocado, mais uma vez, por uma espécie de insulto narcisista, envergonhado pelo profeta e, "indignado e aborrecido", retirou-se furtivamente para Samaria. Lá Acabe havia se encantado pela vinha de um homem chamado Nabote e pediu que lhe vendesse, a fim de transformá-la em uma horta. Nabote respondeu: "O SENHOR me livre de lhe entregar a herança que recebi de meus antepassados!" (1Rs 21.1-4). Jezabel, porém, determinou-se a conseguir a vinha para o esposo, assim como fizera o voto de matar Elias. Essa atitude se baseava em uma sensação de merecimento. "Afinal, você é o rei de Israel ou não é?" (1Rs 21.7), perguntou, como se esse cargo significasse que seu marido tinha o direito de se apropriar da propriedade dos súditos. Então Jezabel usou o poder tanto da "igreja" quanto do "estado" para agir injustamente para com Nabote. Convocou um dia de jejum — rito religioso cujo objetivo era adorar a Deus — a fim de tramar uma armadilha para pegar Nabote. Reuniu falsas testemunhas contra ele. E, então, organizou a execução do camponês, usando mais uma vez os poderes do ofício do rei de Israel, a fim de satisfazer as vontades do marido.

Por que isso é importante em sua vida agora? É bem improvável que você tenha o poder de um monarca e possa condenar as pessoas à morte por qualquer capricho seu. Na verdade, a maioria dos reis e das rainhas do mundo contemporâneo não tem esse tipo de poder. Contudo, é possível argumentar que, em nossa época, quase todos podem facilmente exercer poder equiparável ao de Acabe e Jezabel. Por exemplo, um controlador de tráfego aéreo tem mais poder sobre a vida e a morte do que um rei do antigo Oriente Próximo. E, se você é cidadão de uma república democrática do mundo desenvolvido, tem responsabilidade final sobre sistemas bélicos que eliminariam não só um camponês, mas seria capaz de pulverizar toda a região em que ele morava. Além disso, com a tecnologia moderna de comunicação, até mesmo os mais destituídos têm a capacidade de espalhar mentiras sobre alguém de maneiras que Jezabel imaginaria se tratar de bruxaria, caso testemunhasse algo semelhante. Todos nós somos responsabilizados por nossa maneira de usar o poder — de formas justas e morais ou exploradoras e pecaminosas.

O problema com a consciência humana caída é que, embora todos reconheçamos a existência de padrões de justiça, tentamos proteger a consciência culpada de pensar em como tais padrões nos impedem de realizar os pecados que queremos cometer. Isso se revela, por exemplo, naquilo que reconhecemos como temas relevantes para discussão. Por exemplo, algumas pessoas se irritam com passagens bíblicas sobre moralidade pessoal relativa à conduta sexual. Quando o pastor prega sobre adultério, o adúltero que não quer se arrepender costuma acusar o pregador de se meter em questões sobre as quais não entende nada. Pode dizer algo do tipo: "Por que ficar tão obcecado com o que dois adultos fazem dentro do próprio quarto, com consentimento mútuo, enquanto há crianças pobres morrendo de fome em nossa comunidade e no mundo inteiro?". Ao mesmo tempo, aqueles que desejam manter o *status quo* da injustiça social dizem com frequência que questões relativas ao sistema ou à lei são "distrações da justiça social" à "pregação do evangelho puro e simples".

Tanto aqueles que desejam evadir-se à justiça divina nas áreas de moralidade pessoal quanto quem quer escapar da justiça divina na esfera dos relacionamentos sociais usam táticas semelhantes. O imoral diz que o foco nessas questões é "legalismo" e, por isso, uma distração da "graça de Deus". E aquele que quer se esquivar da justiça divina nas esferas pública ou social dirá que essa conversa é "política" ou "evangelho social" e, portanto, uma distração da missão da igreja. Às vezes é esse o caso, nos dois lados? Sim. O legalismo é real. A pessoa que afirma estar bem aos olhos de Deus por causa de sua pureza sexual precisa de uma repreensão — tais obras jamais podem alcançar o favor de Deus. Mas tampouco o contrário — "Você é salvo pela graça, não pela moralidade sexual, então faça quantas orgias quiser" — é verdadeiro.

É possível pregar um moralismo separado do evangelho que apresenta a vida cristã como mais esforço para praticar regras e prescrições? Sim. E a Bíblia condena isso.

Significa, então, que a pessoa deve rejeitar as orientações bíblicas acerca do que é moralidade, isto é, do que agrada a Deus? Se assim for, então a Bíblia em si seria um livro "moralista", envidando bastante esforço para definir como a vida cristã deve se manifestar em nossa maneira de viver como filhos, pais, cônjuges, cidadãos, vizinhos, patrões, funcionários, e assim por diante. A diferença entre "moralismo" e "moralidade" está na motivação: se a moralidade é motivada e definida pelo evangelho ou se a moralidade é o evangelho.

Existe um "evangelho social" que rejeita o evangelho de Jesus Cristo? Sim. Tal ponto de vista rejeita a necessidade do novo nascimento, sugerindo que a melhoria das injustiças sociais pode instaurar o reino de Deus. A rejeição dessa ideia não significa que as questões "sociais" estão fora do escrutínio da palavra revelada por Deus, assim como a rejeição da possibilidade de perfeição livre de pecado no âmbito pessoal não significa que a busca por santidade conforme a definição bíblica seria um deslize na direção da "justificação por obras".

Outra tática comum é dizer que qualquer preocupação com moralidade pessoal é "puritana" ou "fundamentalista". E o lado oposto da moeda diz que qualquer preocupação com questões sociais e de justiça provêm de liberais não ortodoxos, "marxistas" ou "radicais" (essa estratégia foi muito usada na defesa "cristã" da escravidão humana, dos linchamentos e das leis de segregação racial). O faraó amava seus filhos (foi por isso que ele chorou na Páscoa). Não há motivo algum para dizer que a ordem de amar os próprios filhos é "egípcia".

Na verdade, porém, pouquíssimas pessoas em cada um desses pontos radicais acreditam de fato no que dizem. Aqueles que deixam subentendido que a moralidade pessoal é uma distração do evangelho acreditam, na realidade, no contrário. Aquele que diz que remover um pastor do ministério por adultério é errado porque "Todos temos problemas e Deus usa pecadores" teria um ponto de vista bem diferente caso o pastor convidasse as mulheres da igreja para fazer parte de seu harém de concubinas. E aquele que diz que a Bíblia fala sobre moralidade pessoal mas não aborda a "justiça social" quase sempre se posiciona contra as injustiças estruturais quando elas acontecem dentro de seu quintal.

A pornografia infantil é uma questão de moralidade pessoal ou injustiça social? Ambas as coisas. Quem explora crianças dessa forma está cometendo um pecado pessoal contra Deus, e os grupos que se beneficiam da prática ou permitem que ela aconteça são culpados de uma injustiça grave também. Um jurado, sabendo que um indivíduo é culpado de pornografia infantil, mas que, mesmo assim, o isenta da lei, não pode alegar para Deus que seus atos não foram "imorais" porque agiram em instância pública. Assim também, os irmãos de José ou o sistema judiciário de Pôncio Pilatos não poderiam dizer que, por agirem como tribo ou estado, as questões de "justiça social" da venda de um irmão para ser escravo ou a crucificação de um homem inocente foram questões irrelevantes. Aliás, todas as diversas maneiras de traçar uma divisão da ética entre o "privado" e o "social" de modo a isentar uma parte ou outra do escrutínio moral não estão interessadas em debater os assuntos em questão, mas, sim, em proteger consciências culpadas. Queremos apoiar nossa imoralidade, realizada em particular ou em grupo, cometendo os atos pessoalmente ou incentivando "outros a também fazê-lo" (Rm 1.32). Caso contrário, sentimos medo de quem o faz.

Em nossos dias e contextos, aqueles que diminuem a importância das demandas bíblicas sobre a moralidade pessoal estão tentando afirmar: "Ninguém pode falar nada sobre o jeito que prefiro ter orgasmo". E quem rejeita os apelos por justiça no âmbito social, taxando-os de "subversivos", em geral estão tentando dizer: "Não é da conta de ninguém como trato os negros e pardos". Nenhuma dessas abordagens resiste ao escrutínio das Escrituras. Acabe e Jezabel enfrentaram o juízo divino tanto por sua idolatria pessoal quanto por conduzirem, em seu papel de líderes religiosos, o povo de Deus a essa idolatria. E também por usarem as alavancas do sistema judiciário e das forças militares à sua disposição para tratar as pessoas injustamente. Pecaram contra Deus *e* contra o próximo. Pecaram com lábios impuros *e* como povo de lábios impuros. Pecaram sozinhos e juntos, como casal e como nação. A moralidade do fornicador e a ética do proprietário de escravos conduzem ao mesmo lugar, longe do arrependimento e da fé: ao inferno.

Anos atrás, ouvi um pastor que apoia o direito ao aborto pregar a um grupo de cristãos que é claramente a favor da vida. Ao abordar essa questão, ele disse: "Se nós tão somente ensinássemos castidade sexual para nossos adolescentes e jovens, não teríamos todos esses debates sobre o aborto". A congregação disse "Amém" sem se dar conta do que ele estava dizendo. O pastor estava afirmando que o aborto deveria ser tratado como questão de moralidade pessoal, não de justiça pública. É claro que muitas situações são assim mesmo. Creio que a inveja é pecaminosa, mas não deveria ser ilegal. Não é esse o caso, porém, quando a questão envolve seres humanos dependentes e vulneráveis que ficam desprotegidos pela lei.

O aborto é uma questão de moralidade pessoal? Sim. O aborto é uma questão de injustiça legal, no qual algumas pessoas têm o direito à vida negado por causa de sua idade e condição de dependência? Sim. O aborto é uma questão de injustiça estrutural, na qual uma indústria predatória se aproveita de mulheres desesperadas e vulneráveis? Sim. É tudo isso. Aquele que diz: "Penso que os nascituros são pessoas, mas, como cidadão, aprovo a privação de seus direitos porque não acho que o evangelho fale acerca da 'justiça social'" está gravemente equivocado, tanto quanto a pessoa que diz: "Acho que o aborto é injusto e deveria ser ilegal, mas como é legal vou fazer um. Não me culpem; culpem o sistema".

Acaso a Bíblia apresenta uma estrutura detalhada para o que é certo e errado nos caminhos pelos quais a sociedade promove a justiça? Não. A Bíblia também não apresenta uma estrutura detalhada sobre o que significa ser um indivíduo moral ou uma família moral, se pensarmos nisso em termos de uma explicação cenário por cenário, do tipo: "Faça isto, não faça aquilo". Nas questões que consideramos "pessoais", alguns assuntos são explícitos. Alguém que disser: "Ore por mim este fim de semana, para que eu consiga vender minha sobrinha por um bom preço para o cartel de drogas que quer traficá-la" deve ser repreendido e responsabilizado imediatamente. Outros assuntos, contudo, são mencionados em termos de princípios, mas não de detalhes específicos.

A Bíblia, por exemplo, ordena que marido e mulher não privem um ao outro das relações sexuais, salvo por curtos períodos (1Co 7.1-5). No entanto, uma igreja que publicasse um calendário marcando os "dias de sexo" e os "dias de abstinência" assim como registra a leitura bíblica do dia seria autoritária e equivocada. Em alguns pontos, porém, a Bíblia deixa as questões de moralidade para a consciência individual — por exemplo, comer carne ou apenas verduras e legumes, ou observar determinados dias cerimoniais. Em tais casos, as pessoas devem coexistir e não tentar forçar ninguém a agir de maneira contrária à consciência (Rm 14.1-23).

O mesmo se aplica a situações que, com frequência, tentamos dividir e excluir como questões de "justiça". Em nenhuma parte a Bíblia revela qual deve ser o percentual de impostos, e qualquer um que o diga está passando dos limites de autoridade. Ao mesmo tempo, quem orientar as pessoas a parar de pagar impostos porque "quem é o governo para exigir isso de nós?" está transgredindo as Escrituras (Mt 22.17-22; Rm 13.7). Assim como as questões consideradas morais "pessoais", algumas dessas questões são deixadas abertas, sujeitas à prudência e ao bom senso. Algumas delas são pautadas por princípios, tais como "ame o próximo como a si mesmo", embora a aplicação específica precise ser debatida. Já outras são explícitas: não privar as viúvas de sua propriedade, não culpar os inocentes e exonerar os culpados no tribunal, e assim por diante.

Você talvez presuma que a condenação da injustiça de Acabe e Jezabel não é relevante para sua vida. Afinal, provavelmente você não é o ditador de algum governo mundial. No entanto, a questão não é se você tem poder para prejudicar os outros, mas, sim, quanto desse poder você tem. Qualquer que seja a quantidade, isso significa prestação de contas. Jesus jamais responsabilizou as multidões da Galileia pela extorsão praticada pelos romanos na cobrança de impostos. Os cidadãos não tinham poder para mudar tais coisas. Mas os publicanos em si — como Zaqueu, por exemplo — receberam a ordem de se arrepender e fazer restituição. O cego de nascença não recebeu instrução sobre demonstrar misericórdia ao homem espancado à margem da estrada para Jericó. Ele não tinha poder para isso e, portanto, nenhuma responsabilidade. Já para o sacerdote e o levita que o viram e passaram de largo, a história era bem diferente.

Talvez você trabalhe em uma mercearia recebendo salário mínimo. Não tem responsabilidade pelos hábitos financeiros de seu gerente e nenhuma responsabilidade de averiguar as notas fiscais dele a fim de garantir que não está reduzindo a margem de lucro a fim de pagar prostitutas ou manter o vício em cocaína. No entanto, se você for o supervisor desse gerente e souber dessas situações, é tanto responsável quanto precisará prestar contas da situação. Se você for membro de uma igreja doméstica na Arábia Saudita, não é responsável pela perseguição das minorias religiosas realizada pelo governo. Mas, se fizer parte da família real da Arábia Saudita, sem dúvida passa a ser. Pôncio Pilatos não poderá alegar, junto ao trono do juízo, que sua decisão política de permitir a execução de um suposto revolucionário a fim de manter a unidade do império não deve ser motivo de acusação, já que era uma questão "política" ou de "justiça social". Tampouco Herodes pode fazer o mesmo em relação a seu casamento, por se tratar de algo "pessoal".

Deus mostrou a Elias naquele monte que a justiça seria feita, mesmo que no futuro. Na vinha de Nabote, após o assassinato acontecer, Elias, o porta-voz de Deus, pronunciou um veredicto terrível: "Os cães lamberão seu sangue no mesmo lugar onde lamberam o sangue de Nabote" (1Rs 21.19). Ele fez uma premonição semelhante quanto ao fim de Jezabel. Acabe reagiu arrependido a isso. Vestiu-se de pano de saco e jejuou. Por isso, Deus adiou seu julgamento iminente (1Rs 21.27-29). Com base no que lemos nas páginas seguintes, percebemos que não foi um arrependimento genuíno, mas a suspensão temporária da própria ruína. Jezabel ainda enfrentaria seu fim.

Esse momento de confronto com Acabe, assim como o anterior em relação à idolatria, não dizia respeito somente à história realizada no momento, mas também apontava para a missão futura de Elias, missão que ele, na verdade, não viveria para cumprir. Uma das crenças espirituais mais populares dos nossos dias é uma espécie de compreensão comum e distorcida do conceito budista de *karma*: "Tudo que vai, volta". De certo modo, é o jeito usado pelas pessoas secularizadas para lidar com a perda da ideia do dia do juízo. Em outro sentido, porém, esse conceito confuso está parcialmente correto, enraizado na intuição de que o pecado e a injustiça não são realidades permanentes — de que, de algum modo, um dia, a justiça será feita. Em geral, isso não acontece de imediato. É por isso que, a despeito do fato de uma das dúvidas teológicas mais persistentes ser: "Por que pessoas boas sofrem?", a realidade é que, com a mesma frequência e talvez até maior, a questão da injustiça dentro do coração humano é exatamente a mesma dos tempos bíblicos: "Por que os ímpios prosperam?".

No entanto, ao estabelecer *o que* da justiça, Deus também revelou a Elias o *quem*. Nas Escrituras, as questões de justiça definem não só *o que* importa, mas também *quem* importa. É por isso que, em seu sermão inaugural, Jesus definiu não só o conteúdo do "Dia do Senhor" — liberdade para os cativos, visão para os cegos, liberdade para os oprimidos — mas também a quem isso se aplicava — não só ao Israel étnico, mas a gentios como a viúva de Sarepta ou o sírio Naamã (Lc 4.18-27). É por isso que Jesus definiu para o mestre da lei cheio de justiça própria não só o conteúdo da misericórdia — amar o próximo como a si mesmo de qualquer maneira necessária — mas também reestruturou quem seria esse próximo, usando a história de um samaritano desprezado como aquele que obedeceu à ordem de cuidar do homem espancado às margens da estrada de Jericó (Lc 10.25-37).

De igual modo, Deus passou rapidamente pelo julgamento vindouro da casa de Acabe e voltou ao conceito do remanescente. Destacou não o sucesso que voltaria para alcançar o momento de perda do profeta, mas o remanescente:

"No entanto, preservarei sete mil de Israel que nunca se prostraram diante de Baal nem o beijaram!" (1Rs 19.18). No momento, esse grupo era o fator mais irrelevante em toda a equação. Elias sabia que, na verdade, ele não era o único que havia restado. Ele sabia que seu colega profeta Obadias havia escondido cem profetas em duas cavernas, para protegê-los de Acabe e Jezabel (1Rs 18.4).

Embora Elias não estivesse, assim como Acabe, perseguindo a fraqueza de tal grupo, sem dúvida ele não estava pensando neles. Afinal, não tinham a influência para lidar com o problema em questão. E ninguém notaria se eles desaparecessem. É justamente essa a dinâmica em ação na situação de Nabote que estava por acontecer. Conforme Jezabel destacou, Acabe era o rei de Israel. Quem notaria se Nabote sumisse? Ele era apenas um obstáculo a ser atropelado. Mas Deus via e sabia. A maioria de nós entende isso da mesma forma que imaginamos como agiria um rei, ou, quem sabe, o homem rico na parábola de Jesus do rico e Lázaro. Com frequência, porém, não enxergamos como nossa falha em nos posicionarmos em prol da justiça em nossa vida por vezes se resume à questão de quais grupos valorizamos mais do que os outros e quais pessoas tememos mais do que as outras.

Mas também está incluída na revelação divina sobre a justiça a questão do *como*. Deus usou poder — até o ímpio Hazael e o moralmente ambíguo Jeú — para voltar a adoração ao poder exaltada por Acabe contra ele mesmo. Uma vez que ele via a própria imponência como determinante do certo e do errado, seria a imponência que derrubaria seu legado. Mas a esperança para o futuro não estava na instauração de uma nova dinastia para Jeú ou Hazael. A esperança estava com o remanescente. A esperança para o futuro estava com um grupo tão irrelevante para o debate do momento que Elias nem pensou em mencioná-lo.

Isso deve ter sido desconcertante para Elias. Seu lamento, afinal, não dizia respeito somente ao destino da nação, mas também à sua própria marginalização e provável execução. Para ele, as duas coisas estavam interligadas. Afinal, ele era o mensageiro da palavra de Deus. E aqui Deus fala sobre um futuro no qual endireitaria as coisas, mas o faz mencionando outras pessoas, em vez de Elias. Aliás, ele revela de forma explícita o nome daquele que assumiria o lugar do profeta. A palavra de Deus era insubstituível, mas Elias não. O exílio de Elias no deserto não significava que Acabe estava frustrando o propósito divino. Aquele *era* o propósito de Deus para Elias. Mais uma vez, o Senhor resgatou Elias de trilhar o caminho de Acabe, tornando suprema a relevância divina.

Mencionei anteriormente como é mais fácil encontrar crianças que recebem nome de profeta, em vez de rei, quando a família está em busca de um nome bíblico. Enquanto escrevo isso, lembro-me da única vez em que minha esposa me envergonhou. Estávamos visitando uma nova igreja, ainda nos ajustando à novidade da vida de casados juntos. Naquele domingo, enquanto o pastor pregava, se não me engano, sobre os primeiros capítulos de Apocalipse, ele deparou com o Cristo ressurreto identificando uma falsa mestre como "Jezabel". Na tentativa de enfatizar a grande notoriedade, até o presente, dessa rainha má do Antigo Testamento, o pastor perguntou: "Quantas mulheres aqui hoje se chamam 'Jezabel'? Levantem a mão!". Minha esposa não o entendeu direito. Achou que ele havia perguntado: "Quantas mulheres aqui hoje se lembram de Jezabel?". Imaginou que ele estivesse apenas avaliando a familiaridade do público com a personagem, não que quisesse saber quem era xará da rainha, por isso ergueu o braço. "O que você está fazendo?", sussurrei, enquanto olhava ao redor, na certeza de que, se começássemos a frequentar regularmente aquela igreja, as pessoas nos apresentariam por anos como "Russell e Jezabel Moore".

Mais tarde, naquele dia, a confusão se transfigurou em minha mente de humilhante a hilária, especialmente porque não conheço ninguém menos semelhante à assassina maquiavélica do que minha esposa calma e gentil. Só mais tarde, porém, quando tivemos a chance de rir de todo o episódio, refleti que o simples fato de corarmos diante dessa possibilidade confirmava a ideia que o pastor tentou transmitir. Não só minha esposa não se chama Jezabel, como também não conheço ninguém com esse nome. Em parte, é claro, isso acontece porque aqueles que pesquisam nomes na Bíblia não estão em busca de vilões. Mas imagine alguém atrás de um nome pagão para transmitir ao filho. Alguém que valoriza as coisas que Jezabel valorizava — fama, poder, renome — também não escolheria esse nome, pelo mesmo motivo que alguém que não sabe que "Icabode" quer dizer "foi-se a glória" não gostaria de dar ao filho o nome do protagonista vacilante da obra *A lenda do cavaleiro sem cabeça*.

Jezabel acabou repudiada e humilhada, até mesmo de acordo com a própria perspectiva. Afinal, Jezabel se gloriava por sua importância. Em sua morte, Deus garantiu que até isso fosse removido. As Escrituras dizem que, quando a justiça para ela finalmente chegou, não restou nada de seu corpo para sepultar, com exceção do "crânio", dos "pés" e das "mãos" (2Rs 9.35). Quando ficou sabendo disso, Jeú recordou: "Isso cumpre a mensagem do SENHOR, anunciada por meio de seu servo Elias, de Tisbe: 'Cães devorarão o corpo de Jezabel no campo em Jezreel. Seus restos serão espalhados como esterco no campo, de modo que ninguém será capaz de reconhecê-la'" (2Rs 9.36-37). Sem dúvida, é uma imagem grotesca. Mas é para esse caminho que conduz a relevância pessoal como maior prioridade: para a destruição e a vergonha. Já o legado de Elias se concretizaria de outra maneira, por meio de sua substituição por outros.

A exaustão de Elias ao ver seu trabalho falhar não aconteceu porque não valia a pena fazer o trabalho, mas, sim, porque o trabalho era tão importante que Deus não deixaria que ele se transformasse em um "Baal" para o profeta. E o mesmo se aplica a você. Não importa para qual missão Deus o chamou — criar filhos, discipular um pequeno grupo, missão evangelística a um grupo populacional ou a geração de recursos para cuidar dos pobres, tanto faz — Deus em geral faz questão de que a maior parte de suas realizações permaneça invisível para você. Às vezes, pode até parecer que você está falhando. Com frequência, é necessário que Deus o conforme à imagem de Cristo, o que não exalta a si mesmo, mas permanece entre os outros como aquele que serve.

O sacerdote Henri Nowen escreveu sobre como foi gritante para ele a diferença ao sair de um lugar celebrado do ministério para servir em um lar para adultos com transtornos de desenvolvimento, que não sabiam quem ele era e não davam a mínima para o quanto ele era impressionante no ministério. "Aquelas pessoas abaladas, feridas e completamente despretensiosas me forçavam a abrir mão do meu eu relevante — o eu capaz de fazer coisas, mostrar coisas, provar coisas, construir coisas —, e isso me forçou a me reapropriar daquele eu sem adornos, no qual sou completamente vulnerável e aberto para receber e dar amor, independentemente de quaisquer elogios", escreveu. "Digo isso porque estou profundamente convencido de que o líder cristão do futuro é chamado para ser completamente irrelevante e se erguer neste mundo sem nada a oferecer, a não ser o próprio eu vulnerável."[2]

Isso era verdade para Elias. Era verdade para João. E será verdade para você.

Ao ler o Novo Testamento, chama a atenção o fato de que o único que parece não ter complexo de Messias seja exatamente o próprio. Quase todos os outros, a despeito de quão dedicados fossem ao que é correto, muitas vezes se colocavam no centro da realização do que é correto. Deus separa uma coisa da outra. Ao fazer isso, liberta-nos da tentação à apatia ou à participação na injustiça. Mas também nos livra da exaustão que provém de enxergar retidão e justiça como algo inteiramente dependente de nós. Em vez disso, somos livres para perguntar: "O que é certo? O que Deus requer de nós neste momento?", e também para olhar em volta à procura do remanescente, dos lugares em que Deus realiza sua obra sem nós. Conforme diz o ancião Zossima em *Os irmãos Karamázov*: "E se todos o abandonarem e o expulsarem à força, quando você for deixado só, prostrado no chão, beijando-o e aguando-o com suas lágrimas, a terra frutificará por causa de suas lágrimas, mesmo que ninguém o tenha visto ou ouvido em sua solidão". Então Zossima conclui: "Sua obra é para o todo; seus feitos são para o futuro".[3] O mesmo pode ser dito acerca de Elias. Ele, como parte do fruto do remanescente invisível, foi testemunho disso. E o mesmo se aplicará a você. Esse não é o caminho do herói, mas o do discípulo.

O propósito divino de justiça e as maneiras misteriosas e contraintuitivas usadas por Deus para cumpri-lo continuam a fazer parte da história de Elias muito tempo depois de sua partida. Lembre-se de que, nos capítulos finais do Antigo Testamento, Deus fala sobre o retorno de Elias "antes da vinda do grande e terrível dia do SENHOR" (Ml 4.5). Esse espírito do profeta viria na forma de um mensageiro que vai à frente do Senhor, anunciando sua vinda. "Então, de repente, o Senhor a quem vocês buscam virá a seu templo" (Ml 3.1). Isoladamente, é difícil considerar que essa é uma boa notícia.

Seria uma vinda de julgamento de toda a maldade feita em seu nome. Malaquias indagou: "Mas quem poderá suportar quando ele vier? Quem permanecerá em pé em sua presença quando ele aparecer?" (Ml 3.2). Esse julgamento seria por coisas que podemos caracterizar como "verticais" (maneiras erradas de adorar a Deus; idolatria) e aquelas que podem ser classificadas como "horizontais" (maltratar o próximo). E essas questões "horizontais" do juízo incluem tanto aquilo que alguns classificam como "moralidade pessoal" quanto coisas que outros denominariam questões de "justiça social": "'Não demorarei para testemunhar contra todos os feiticeiros, adúlteros e mentirosos. Falarei contra aqueles que roubam o salário de seus empregados, que oprimem as viúvas e os órfãos, ou que privam os estrangeiros de seus direitos, pois essas pessoas não me temem', diz o SENHOR dos Exércitos" (Ml 3.5).

Deus encerrou sua revelação da primeira aliança lembrando seu povo de que não encontrariam lugares nos quais poderiam ser imorais ou injustos longe de seu escrutínio. Aliás, fazê-lo seria cometer o mesmo erro do exército sírio ao atacar Israel nos dias de Elias, após concluir: "O SENHOR é um deus dos montes, e não das planícies" (1Rs 20.28). Contudo, a última palavra não é de juízo, mas de reconciliação que provém do juízo. O espírito de Elias proporcionaria, por fim, uma reconciliação "vertical" (salvação da destruição) bem como uma reconciliação "horizontal" ("Ele fará que o coração dos pais volte para seus filhos e o coração dos filhos volte para seus pais" [Ml 4.6]).

E foi exatamente isso que aconteceu. Jesus entrou no templo, virou a mesa dos cambistas e os expulsou. Tudo isso aconteceu tanto por causa do aspecto "vertical" de um compromisso de santidade de adoração ("meu templo será chamado casa de oração") quanto do aspecto "horizontal" do tratamento injusto das pessoas invisíveis no momento ("para todas as nações" [Is 56.7]). Ao refletir sobre esse acontecimento espantoso, os discípulos de Jesus se lembraram de uma expressão de Salmos: "O zelo pela casa de Deus me consumirá" (Jo 2.17; Sl 69.9). Literalmente, isso quer dizer: "O zelo pela casa de Deus me despedaçará". E, de fato, despedaçou.

A acusação de que Jesus estava tramando destruir o templo foi uma das alegações feitas para sua crucificação. Todavia, ao ser crucificado, Jesus cumpriu exatamente o que havia prometido. O templo — seu corpo — foi despedaçado e, em três dias, reconstruído. E, nesse templo feito de pedras vivas que ligam o céu à terra, ele personifica a adoração a Deus, a santidade de vida, o amor a Deus e ao próximo, bem como a reconciliação das pessoas com Deus e umas com as outras. Nessa nova realidade, aprendemos o que Deus requer de um povo renascido: "que pratique a justiça, ame a misericórdia e ande humildemente com seu Deus" (Mq 6.8). O zelo que levou Elias à exaustão foi o mesmo que conduziu Jesus à crucificação e, além dela, a uma nova criação.

A injustiça desperta a ira de Deus. No entanto, o poder reconciliador divino cria em nós um povo que reflete as prioridades do próprio Jesus (Sl 72.1-14). Isso quer dizer que teremos uma visão de longo prazo do que importa e de quem importa. E não teremos medo de supostas "causas perdidas". Reconciliados com Deus, somos capazes de ver tanto a criação quanto a queda, e sabemos que a queda não é o fim da história, nem seu princípio.

As pessoas são criadas à imagem de Deus e dotadas por ele de certos direitos alienáveis. Jefferson estava certíssimo quanto a isso. Todas as pessoas possuem uma consciência que transmite mensagens do Criador. Nos momentos em que baixam a guarda, os seres humanos são capazes de perceber a bondade da criação, a dignidade dos outros ao seu redor e a inevitabilidade da prestação de contas por nossa vida (Rm 2.15-16). Então nos posicionamos e falamos em prol daqueles sobre os quais o mundo não quer escutar — os negligenciados, as mulheres abusadas, os nascituros, os migrantes que são usados como bodes expiatórios, as minorias religiosas perseguidas — não por estarmos necessariamente "vencendo" a questão do momento, mas por testemunharmos de algo e Alguém maior do que o momento. O senso da providência e soberania de Deus nos impede de cair em desespero. O reconhecimento da queda humana e da guerra espiritual à nossa volta nos impede de cair no triunfalismo. Ao unir ambos, vemos a junção da cidade de Deus e da cidade dos homens, uma se encaminhando para a morte, mas a outra marchando rumo a Sião.

Alguns dos que matam os Nabotes à sua volta para ficar com a vinha alheia podem mudar de rumo. Por vezes, serão exatamente os mesmos que liderarão a causa da justiça, da dignidade e da reconciliação em tempos posteriores. Com outros, não é o que acontece. Mas, quer "ganhemos" quer "percamos" no curto prazo, vemos a cena completa. É uma visão da justiça e misericórdia de Deus da qual ele nos convida a participar, mas que prosseguirá com ou sem nosso envolvimento.

O zelo é necessário, mas não suficiente. O zelo deve nos conduzir ao autossacrifício. O zelo precisa nos levar à justiça e ao evangelho moldados pela cruz, à disposição de ser considerados estranhos e irrelevantes, bem como a ser ridicularizados e esquecidos, contanto que a voz seguida no escuro seja a mesma ouvida antes, dizendo: "Venha e siga-me".

Em algum lugar no Alabama, há uma igreja fechada que antes se enchia de gente. Mas ela não conseguiu identificar a diferença entre o reino de Deus e a cultura sulista, entre o corpo de Cristo e o conselho de cidadãos brancos. O evangelho, porém, seguiu em frente sem ela e, assim como no restante do mundo, a missão é cumprida por pessoas que seriam excluídas por aquela igreja em seu auge. Aliás, a maior parte da multidão reunida ao redor do trono em Apocalipse 5 seria excluída do rol de membros, assim como o homem de pele morena do Oriente Médio que não fala inglês assentado no trono no meio dessa cena. Talvez seja possível dizer que ele já foi excluído há um bom tempo. Posicionar-se em prol da justiça significaria parecer esquisito, estranho e "ineficaz" no momento e, por isso, a igreja escolheu a relevância, em lugar do certo. Pergunto-me quantos de nós fazemos o mesmo. É para essa condição que o medo conduz. Mas a fé nos leva para outro lugar: para a coragem e para a defesa do que é certo.

O arco da história é longo, mas se curva na direção de Cristo.

8
Coragem e o futuro

....

Sentido em meio ao mistério

Uma luz noturna brilha em meio à escuridão do corredor de minha casa. Não está ali para me ajudar a ver no escuro, mas para me lembrar de que já consigo fazê-lo. Essa luz noturna tem o formato de um guarda-roupa e mostra a pequena Lúcia na porta entrando na paisagem nevada de Nárnia. A luz brilha nas estrelas acima e no poste com lampião bem no centro. Quando vejo essa luz noturna, lembro-me do quanto essas histórias ajudaram a me tirar de um momento de trevas extremamente profundas. Ela resplandece com familiaridade para mim. Mas também arde com mistério. Afinal, sei para onde Lúcia está indo: para a casa do Sr. Tumnus, para a Mesa de Pedra, para Cair Paravel e, então, para a mais verdadeira e grandiosa Nárnia. No entanto, nesse momento da história, ela não sabe de nada disso. Naquele instante, congelada na cena, ela não sabe nada sobre feiticeiras, leões ou faunos. Há somente um lampião e um céu invernal. Há somente uma luz brilhando no escuro. E, quando comecei minha própria trilha em meio a bosques escuros, eu também não conseguia enxergar para onde estava indo, nem seria capaz de nomear com precisão o que me motivava a prosseguir. É possível que o mesmo se aplique a você. E talvez seja por isso que sente tanto medo.

Aliás, boa parte do que tememos não se deve a imaginarmos ser impossível suportar o que nos assusta. Muitos já vimos pessoas que fizeram isso. Boa parte de nossos temores tem a ver com o mistério de não sabermos o que nos espera quando virarmos a esquina. Não temos como saber tudo que irá se desenrolar para nós. Sentado ao redor de uma fogueira na companhia de amigos certa noite, um deles puxou conversa:

— Se você pudesse ler agora mesmo uma única coisa, do passado, presente ou futuro, o que seria?

Acho que ele respondeu à própria pergunta dizendo que gostaria de ler o que Jesus escreveu com os dedos na areia na tentativa de apedrejamento da mulher apanhada em adultério, palavras essas que levaram os futuros algozes a jogar as pedras no chão e ir embora.

Sem nem hesitar, eu disse:

— Meu obituário.

Um dos que estavam ali estremeceu e comentou:

— Que aflição, Moore! Isso é meio sombrio.

Todavia, enquanto explicava por que eu gostaria de ver o futuro e ler o obituário, percebi que meu desejo não surgia da curiosidade, mas, sim, do medo.

Se eu pudesse ler o obituário, eu ficaria sabendo, antes de mais nada, exatamente quando iria morrer. Se a data fosse amanhã, iria de imediato para casa e ficaria acordado a noite inteira com minha esposa e meus filhos. Se a data fosse daqui a quarenta anos e minha causa de morte fosse ataque de tubarões, ficaria com medo de nadar em águas turvas pelo resto da vida, mas não teria ansiedade nenhuma ao atravessar uma rua agitada, nem me perguntaria o significado daquela dor de cabeça persistente. Afinal, eu saberia com certeza que seria morto por causa de um tubarão — não de derrame, ataque cardíaco, tumor cerebral ou atropelamento por um ônibus. Até se passarem aqueles quarenta anos, eu seria invencível. Mas essa não seria a parte mais importante do obituário para mim.

Antes mesmo de olhar para a data ou causa de morte, veria a linha que começa com a palavra "Deixa...". Seguraria o fôlego até ler o nome de minha esposa ali e de todos os meus filhos. Gostaria de decifrar todos os mistérios. Há nomes de cônjuges dos filhos citados? Eles tiveram filhos? Eu tentaria analisar suas responsabilidades em meu funeral para responder às perguntas sobre esse momento futuro. Eles ainda me amam? Sentem orgulho de mim? Minha vida fez diferença para eles? Mesmo ao refletir nesse experimento mental, fui abalado ao perceber o quanto ele revelava sobre minhas prioridades distorcidas no presente. Notei que eu não me importava com o que estranhos pensavam a meu respeito. Minha preocupação era a opinião da esposa e dos filhos. Então por que a opinião ou aprovação de estranhos é tão importante para mim agora, se irei para a sepultura sem que isso faça a menor diferença?

Meu amigo estava certo. Esse experimento mental é meio mórbido. Mas o que me leva a querer ver meu obituário é a vontade de decifrar o sentido de minha vida. Quero ver como a história termina, a fim de entender como a trama se resolve. Se eu soubesse como tudo se encaminharia, não teria medo de nada. Isso acontece porque um obituário não é um mero agrupamento de dados. Para quem interpreta direito, ele é uma história com narrativa das origens e resolução da trama. Trata-se de uma tentativa, por menor que seja, de encontrar significado para a vida no momento em que é possível vê-la por inteiro, ou seja, depois que termina. Em sentido bastante real, é isso que passamos a vida inteira tentando fazer. Isso é que é coragem.

Após caminhar pelo deserto, Elias não recebeu um vislumbre do próprio obituário. Deus de fato revelou algo do futuro, mas apenas coisas relativas ao julgamento do mal e ao triunfo supremo da misericórdia divina em relação ao remanescente. O sucesso da missão divina foi predito, mas não os detalhes do que aconteceria com Elias, com exceção do fato de que ele deveria recrutar o próprio substituto.

Quando Elias encontrou Eliseu, este pediu tempo para se despedir dos pais. Não é um pedido descabido, por isso choca tanto quando Jesus recusa a seus discípulos a oportunidade de fazer o mesmo (Lc 9.57-62). Em seguida, Eliseu sacrificou os bois que usava para arar a terra. Isso pode não significar muito para a maioria dos leitores de hoje, já que cada vez menos pessoas convivem com gado, muito menos com sacrifícios de animais. Mas esse ato não foi um mero rito antigo para Eliseu. Eram os bois que ele usava para arar a terra. Sacrificá-los não representa a oferta de duas bestas de carga, mas, sim, de toda sua história até então: seu sustento, sua herança, as esperanças que sua família tinha para ele, suas expectativas quanto ao futuro. Eliseu estava sacrificando sua história por um futuro que, para ele, era um mistério.

Com o avanço do relato bíblico, Elias continuou a ser, como de costume, um mistério para os que o procuravam: aparecia do nada, desaparecia na obscuridade, invocava fogo do céu, proferia os oráculos de Deus. Ao longo de todo o tempo, porém, Deus estava conduzindo Elias para um lugar que, cada vez mais, parecia ser seu fim. E, ao segui-lo, Eliseu pediu somente uma coisa: unção dobrada do Espírito de Deus que havia no profeta mais velho. Elias disse que Deus só concederia esse pedido se Eliseu visse sua partida final, seu momento de glória. E foi exatamente isso que aconteceu. Eliseu viu Elias ser levado embora em um redemoinho, em uma carruagem com cavalos de fogo (2Rs 2.11).

Após ter essa visão singular, Eliseu bradou: "Meu pai, meu pai!" (2Rs 2.12). Essa linguagem de pai e filho é crucial. Afinal, a relação entre pais e filhos não só nos garante que há um futuro, mas também que temos uma obsolescência planejada. Dos pais para os filhos, nós diminuímos enquanto eles crescem. Entregamos a eles o futuro, e isso pode ser perturbador. Certa vez, um amigo lamentou o fato de perder a aparência jovem com o passar dos anos.

— Eu pareço o pai de alguém — disse.

Outro amigo olhou para ele e disse sem rodeios:

— Você é o pai de alguém.

Esse tipo de passagem de pais para filhos e de mães para filhas não é uma questão de biologia, nem de sucessão de um ministério profético extraordinário e histórico. É algo que faz parte do discipulado cotidiano. Noemi foi como mãe para Rute (Rt 1.11-18). Paulo foi como pai para Timóteo (1Tm 1.2). Em ambos os casos, as figuras parentais viram com clareza o fim da própria história, à medida que esta continuava em outro alguém. Isso é difícil para a humanidade caída, pois queremos nos enxergar como pessoas que se geram e se sustentam de forma independente, praticamente imortais, sem jamais pensar que um dia seremos superados.

Muitas vezes, um jovem pastor se aproxima para me contar animado sobre uma nova oportunidade de ministério, junto com um pastor mais velho, perto de se aposentar. O acordo é de que, após certo período não especificado, o pastor deixará o cargo e entregará as rédeas ao mais jovem. Quase sempre é um desastre. Exceto em casos de maturidade extraordinária, o padrão típico é que o mais velho começa a olhar para o mais novo como sinal da própria mortalidade. Se ele tiver associado o próprio senso de valor e significado ao trabalho, acabará se ressentindo do intruso da mesma maneira que alguém com tosse persistente se ressentiria de um vizinho que fica todos os dias no gramado da frente de casa fantasiado de Morte, com roupa preta e uma foice na mão.

Isso pode acontecer em qualquer esfera da vida, não só no ministério. Com frequência, vemos o mesmo cenário se desenrolando tanto na igreja quanto no Vale do Silício, em Wall Street ou na papelaria no fim da rua: uma geração jogando lanças na próxima. Dizemos a nós mesmos que fazemos isso por causa de "nossas preocupações" ou da "causa", quando, na verdade, o que nos irrita é escutar: "Saul matou milhares, e Davi, dezenas de milhares!" (1Sm 18.7). Temos medo não tanto de morrer, mas de cair na obscuridade e ser esquecidos. Tememos que nossa vida não tenha significado.

Elias não era, pelo que podemos perceber, hostil à próxima geração, mas não tinha consciência do remanescente — mesmo sabendo que cem deles estavam escondidos em cavernas. Ele parece não prestar atenção a esse acontecimento na história. No fim, porém, Elias não só abençoa e entrega a obra de sua vida a um filho da fé, como também se prepara para ser superado por seu protegido.

A Bíblia deixa claro que era exatamente essa a intenção de Deus. Logo depois de Elias ser arrebatado, Eliseu colocou o manto do profeta mais velho, chegou à margem do rio e disse: "Onde está o SENHOR, o Deus de Elias?" (2Rs 2.14). As águas se abriram, assim como havia ocorrido com Elias e com seus antepassados no êxodo. E Eliseu soube fazer a pergunta certa. Os outros queriam saber: "Onde está Elias?". Mandaram equipes de busca para procurá-lo por três dias, mas sua localização permaneceu um mistério. Eliseu, porém, sabia que a questão não era onde Elias estava, mas, sim, onde Deus estava. Ele estava lá. E o restante do relato bíblico nesse momento nos mostra Eliseu entrando na história de Elias para levar adiante a missão que este havia recebido no deserto (2Rs 8.10-15; 9.1-13). Deus tirou Elias do centro de sua própria história. E, a fim de fazer isso, garantiu que Elias soubesse aquilo que ele não soube fazer no deserto, isto é, como responder à pergunta: "O que você faz aqui, Elias?". E a resposta certa é: "Não sei".

Observe o contraste entre a jornada de Elias (desde a crise no monte, em 1Reis 19, até sua explosão de glória) e a da família real. Apesar da morte de Acabe, parece que o juízo severo não resolveu a situação. A adoração a Baal ainda se fazia presente. Quando Acazias, o sucessor de Acabe, sofreu um ferimento humilhante, caindo da sacada do terraço, e sua saúde ficou em condição crítica, ele redobrou a idolatria. Assim como todos nós, o rei queria uma informação para suportar o que estava acontecendo: "Vai ficar tudo bem no fim das contas?". Então enviou mensageiros para outro deus estrangeiro, "Baal-Zebube", literalmente "o senhor das moscas", em busca de um sinal. Ele queria saber se enfrentaria a morte e indagou o deus da decomposição e da sangria. É mais do que um mero ato equivocado de adoração (muito embora apenas isso já seria ruim o bastante). Posteriormente, Jesus seria acusado de expulsar demônios pelo poder de "Belzebu", o senhor das moscas (Lc 11.14-19).

Essa tentativa do rei de vislumbrar o futuro por outros meios além da revelação divina foi satânica até o âmago, como fora o caso de Saul com a pitonisa de En-Dor antes dele. E também contraproducente. Conforme notaria Jesus mais tarde, a casa de Belzebu seria destruída, quando aquele homem forte fosse vencido e preso pelo poder do crucificado. Elias, em contrapartida, não era mais o homem duvidoso e propenso a resmungar como antes. Simplesmente seguiu a luz que lhe foi dada, pouquinho a pouquinho, até chegar ao outro monte, no qual, ao contrário de antes, Deus de fato estaria no redemoinho.

A maioria de nós não sofre a tentação de procurar ocultistas para saber o futuro (embora alguns a sofram também). Mas enfrentamos a mesma tentação de outra forma. O desconhecido nos assusta e queremos saber com antecedência para onde vamos, a fim de ter a certeza de que conseguiremos lidar com qualquer coisa que nos sobrevier. Desejamos desvendar o mistério. Para a maioria, isso não se dá por meio de uma visita a bruxas, mas por meio de preocupações. Afinal, a preocupação nada mais é do que repassar na mente, vez após vez, diversos cenários futuros, com a ilusão de que, se ponderarmos nas possibilidades o bastante, conseguiremos, de alguma forma, conquistar poder sobre elas. Jesus nos ensinou a não andar ansiosos por coisa alguma, não só porque a preocupação é incapaz de mudar o amanhã, mas também porque esse tipo de pensamento antecipado nos distrai tanto de nossa realidade presente — o cuidado constante de Deus, manifesto na prosperidade das aves do céu e dos lírios do campo — quanto de nosso alvo futuro, o reino do Senhor (Mt 6.33).

Jesus explica um pouco sobre nosso futuro no curto prazo (seria cheio de tristeza, rejeição e perseguição) e do futuro no longo prazo (quando reinaremos com ele no cosmo [Lc 22.29]). Mas não nos conta muita coisa. Aliás, parte crítica da formação para servir no reino por vir é a sensação de mistério, o aprendizado de andar pela fé, não por aquilo que se vê (2Co 5.7). É enxergar o reino obscuramente, como que por espelho (1Co 13.12). Esse senso de mistério na vida de Elias continuou até o fim e após sua partida no redemoinho.

Para onde ele foi? O que foi fazer? Ele voltaria? Ninguém tinha essas informações. Tudo que restou foi seu manto. É por isso que alguns membros da nova geração de profetas concluíram que talvez ele tivesse caído da montanha ou de um desfiladeiro e precisasse ser resgatado (2Rs 2.17). Não era uma possibilidade descabida, uma vez que, conforme vimos, Elias já havia se perdido na natureza antes e quase morrido. Caso estivesse prestando atenção aos atos realizados deste lado do véu da glória, o velho Elias poderia ter resmungado: "Onde estava essa equipe de busca quando precisei dela?". Mas não encontraram nada. Assim como Moisés tempos antes, cuja sepultura não pôde ser encontrada, Elias estava revestido de ainda mais mistério: ninguém sabia nem mesmo se ele estava vivo. O profeta simplesmente desapareceu. Embora seu espírito tenha prosseguido de Eliseu a João Batista, e embora seu nome apareça nas páginas futuras da Bíblia, não vemos Elias — até mil anos depois. E esse momento de mistério revela exatamente de que você precisa a fim de reunir coragem para se posicionar.

O que Eliseu viu além do Jordão foi quase inexprimível: um redemoinho subindo ao céu e carruagens de fogo. A estranheza da cena leva todo tipo de pessoa secular a desconsiderá-la como uma espécie de mito, ao passo que os adeptos de teorias da conspiração veem no relato uma evidência de antiga abdução por alienígenas. Mas a imagem que temos aqui é coerente com o que a Bíblia chama, em outras passagens, de tirar o véu. Na partida de Elias, Eliseu foi capaz de ver um pequeno lugar na fronteira entre os mundos espiritual e material. Não foi esse o único momento em que isso aconteceria.

Posteriormente, na vida de Eliseu, ele se viu, com seu servo, cercado pelo exército sírio. O jovem entrou em pânico. Mas Eliseu disse: "Não tenha medo! [...] Pois do nosso lado há muitos mais que do lado deles!" (2Rs 6.16). O servo tinha todos os motivos para se perguntar se seu mentor era louco. Como Elias no deserto, ele conseguia ver que estavam em menor número e que sua ruína se aproximava. Eliseu pediu a Deus que abrisse os olhos do jovem "para que veja". Nesse momento, "ele viu as colinas ao redor de Eliseu cheias de cavalos e carruagens de fogo" (2Rs 6.17). Note que Eliseu não convocou as carruagens de fogo. Elas já estavam ali. O profeta simplesmente permitiu, por um momento deslumbrante, que o assustado rapaz visse aquilo que já os rodeava na arena espiritual. Ele então contemplou aquilo que a Bíblia chama, em outras passagens, de "glória".

Nos evangelhos, Jesus ensinou a seus discípulos que "o Filho do Homem virá com seus anjos na glória de seu Pai e julgará cada pessoa de acordo com suas ações" (Mt 16.27). O mais chocante, porém, é que Jesus afirmou: "Eu lhes digo a verdade: alguns que estão aqui neste momento não morrerão antes de ver o Filho do Homem vindo em seu reino!" (Mt 16.28). Seis dias depois, Jesus levou o círculo mais íntimo dos discípulos — Pedro, Tiago e João — para o topo de um alto monte, sem mais ninguém. Assim como a unção de Eliseu dependia de ver a glória da partida de Elias, os três são informados de que veriam a glória da chegada de Jesus. E, naquele monte, algo aconteceu: "a aparência de Jesus foi transformada de tal modo que seu rosto brilhava como o sol e suas roupas se tornaram brancas como a luz" (Mt 17.2).

Aqueles que antes estavam de pé não permaneceram assim; prostraram-se em terra. Viram uma luz brilhante que ofuscou tudo em volta. Então perceberam uma conversa — entre seu Mestre, Moisés e Elias. Não temos, mais uma vez, nenhum indício de que algo mudou naquele monte, além daquilo que Pedro, Tiago e João tiveram permissão de ver. Eles contemplaram o universo vivo com o resplendor de Deus, com realidades espirituais invisíveis e com uma nuvem de testemunhas que não estão mortas como pensamos. Tiveram um vislumbre da glória.

C. S. Lewis escreveu que "glória" sugere duas coisas: aplauso e luz brilhante. E admitiu que ambas parecem um pouco ridículas à primeira vista. Escreveu: "Quanto à primeira, uma vez que ser famoso significa ser mais conhecido do que os outros, o desejo por fama parece uma paixão competitiva e, portanto, proveniente do inferno, não do céu. Quanto à segunda, quem deseja se tornar uma espécie de lâmpada elétrica?".[1] Contudo, ao explorar um pouco mais o assunto, chegou à conclusão de que é exatamente esse o anseio de todos nós: a sensação de aprovação, de ser visto. Pense, por exemplo, na pessoa que anda pelo campo de um estádio vazio e imagina os holofotes voltados para ele, com a multidão gritando seu nome; ou quem fantasia estar cantando no palco iluminado, com o público aplaudindo em polvorosa. Sim, nesses casos, trata-se de uma grandiosidade doentia, mas de onde ela se origina? O que em nosso ser se move rumo a esse fim?

Os dois elementos da glória se fizeram presentes no monte da transfiguração. Houve um brilho radiante de caráter sobrenatural — aquilo que a igreja oriental chamaria de "luz não criada" — e a voz de Deus trovejando mais uma vez que aquele era seu Filho amado, de quem muito se agradava. Essa visão da glória foi significativa com o grupo reunido, uma vez que tanto Moisés quanto Elias foram definidos por vislumbres da glória. Moisés suplicou a Deus: "Peço que me mostres tua presença gloriosa", e foi escondido na fenda da rocha enquanto a glória passava por ele (Êx 33.18-22). Após o encontro com Deus no monte Sinai, o rosto de Moisés brilhou com luz "de segunda mão" a ponto de ser necessário o profeta usar um véu para que o povo não se espantasse. E Elias, claro, invocou fogo do céu e ascendeu com manifestações de glória. Ali, na presença de Jesus, eles viram, pessoalmente, a glória de Deus que tanto almejavam e da qual haviam contemplado pequenos vislumbres. A Bíblia revela que esse Jesus de Nazaré "é o resplendor da glória de Deus e a expressão exata do seu ser, sustentando todas as coisas por sua palavra poderosa" (Hb 1.3, NVI).

Isso pode parecer distante de sua vida, mas não é. Se você é seguidor de Jesus, também já esteve nesse monte. A glória que Moisés e Elias viram não foi um brilho secundário impessoal da presença de Deus. Aquela glória era, de fato, a pessoa de Jesus Cristo. Outro profeta, Isaías, teve a célebre visão da glória de Deus enchendo o templo, tanto em brilho quanto em volume (Is 6.1-6). Essa passagem é pregada com frequência nas igrejas e em campanhas missionárias, pois culmina com "Eis-me aqui; envia-me a mim" (Is 6.8, RA). Mas algo que não escutamos com frequência é que não se tratava de uma glória do tipo *o que*, mas, sim, *quem*. João — uma das testemunhas da glória da transfiguração — explicou: "As palavras de Isaías referiam-se a Jesus, pois viu sua glória e falou sobre ele" (Jo 12.41). "Ele", nesse caso, é uma referência a Jesus. Essa mesma testemunha ocular também escreveu: "Ele era cheio de graça e verdade. E vimos sua glória, a glória do Filho único do Pai" (Jo 1.14). Essa foi, é claro, uma contemplação surpreendente e memorável dessa glória. Mas João disse que não foi a única vez que ele a viu. Por exemplo, a ocasião em que Jesus transformou a água em vinho nas bodas de Caná "manifestou sua glória" (Jo 2.11).

Contemplar Jesus é ver a glória de Deus. Ouvir Jesus é ouvir a glória de Deus. E, se você é seguidor de Cristo, faz ambas as coisas. O apóstolo Paulo escreveu que a glória de Deus está presente no ouvir e crer da mensagem evangélica. E essa glória não desvanece, como a que Moisés viu, mas transfigura quem se aproxima. "Portanto, todos nós, dos quais o véu foi removido, podemos ver e refletir a glória do Senhor, e o Senhor, que é o Espírito, nos transforma gradativamente à sua imagem gloriosa, deixando-nos cada vez mais parecidos com ele" (2Co 3.18). A luz que emana do evangelho, a luz que nos liberta do poder do diabo, é "a luz do evangelho da glória de Cristo, que é a imagem de Deus" (2Co 4.4, NVI). A glória em nossa vida — assim como na experiência dos discípulos com exceção daquele breve momento, assim como foi com Elias, Eliseu e Moisés salvo fragmentos passageiros — é impossível de ver se não por meio da fé.

E é por isso que tais questões importam, à medida que você prossegue na jornada rumo à coragem. Embora eu concorde com Lewis de que a glória diz respeito a luminosidade e aplausos, acrescento que ambos apontam para algo mais: para o desfecho de um enredo. Afinal, a glória não é uma abstração cristalizada e atemporal na Bíblia, mas parte da trama. A glória de Deus sai do Egito junto com Israel e vai até a terra prometida, abrigada no tabernáculo. A glória de Deus entra no templo de Salomão, onde passa a residir até ir embora de forma dramática no exílio. As Escrituras prometem o retorno da glória de Deus, de tal modo que, "assim como as águas enchem o mar, a terra se encherá do conhecimento da glória do SENHOR" (Hc 2.14). A glória não é um mero objeto; em vez disso, está no controle da trama de toda a história cósmica.

O escritor Reynolds Price comentou que a prática de contar histórias surgiu da profunda necessidade humana de consolação e companheirismo. Podemos ver isso em nossa tendência a recorrer a alguma forma de contação de histórias — seja por meio de livros, filmes ou outros recursos — quando deparamos com desastres (tanto de natureza pessoal quanto geopolítica). Price argumenta, porém, que essa "fome" é mais do que uma mera adaptação biológica e cultural. "A necessidade não é de consolação total de fantasia narcótica — na qual a nossa vontade é encenada em triunfo impecável —, mas de uma notícia digna de credibilidade de que nossa vida prossegue rumo a um padrão que, embora trágico aqui e agora, é agradável em última instância na mente de um Deus que vê o todo e *por fim* realizará sua vontade", escreveu. "Desejamos nada mais, nada menos que uma história perfeita. E, enquanto tagarelamos ou escutamos toda nossa vida em um grande ruído contínuo de anseios — piadas, anedotas, romances, sonhos, filmes, peças, músicas, metade das palavras de nossos dias —, só nos satisfazemos com o único conto que sentimos ser verdadeiro: *A história é a vontade de um Deus justo que conhece todas as coisas*" (ênfase dele).[2]

O que ele está dizendo não é somente que necessitamos de um enredo para dar sentido à vida, mas que precisamos que essa história seja maior do que nós. Conforme declarou certo filósofo, "uma ação sempre é um episódio de uma possível história". Isso significa que até mesmo nossos conceitos de moralidade, justiça e significado só acontecem se enxergarmos um ponto final rumo ao qual nossas histórias individuais e coletivas estão se movendo. Sem isso, argumenta o filósofo, as pessoas vão "gaguejando em ansiedade e sem roteiro, em atos bem como em palavras".[3] E isso significa prestar contas a uma história que vai do nascimento à morte, entremeada pelas histórias de outros, a fim de viver, nas palavras dele, "uma vida narrável".[4] Isso requer não só um Deus pessoal, mas também um dia do juízo e uma definição de glória.

Quando Deus exaltou Jesus com luz celestial, conferindo--lhe aprovação irrestrita, estava revelando algo sobre o mistério que une todas as coisas. Boa parte do que assustou Elias no deserto e no monte não foi apenas o fato de sua vida chegar ao fim nas mãos de Jezabel, mas o risco de sua existência não ter sentido. Deus jamais havia lhe provado o contrário. No monte Horebe, Elias escutou uma voz praticamente inaudível. Contudo, no monte da transfiguração, ele ouviu uma voz de clareza inconfundível, centrada em Jesus de Nazaré, dizendo de forma inequívoca: "Ele é o propósito de tudo".

Tal momento não tinha como não ser desconcertante. E, quando desconcertado, pode ter certeza de que o velho Simão Pedro dizia algo tolo. Marcos registra: "Pedro exclamou: 'Rabi, é maravilhoso estarmos aqui! Vamos fazer três tendas: uma será sua, uma de Moisés e outra de Elias'", antes de acrescentar um adendo que sempre me faz dar risada: "Disse isso porque não sabia o que mais falar, pois estavam todos apavorados" (Mc 9.5-6). Para ser justo, todos estaríamos apavorados e sem palavras. Além disso, o que Pedro disse só nos parece tolo porque foi repreendido pela voz de Deus.

Isolada, a sugestão de Pedro faz muito sentido. Algo extraordinário havia acabado de acontecer, e Pedro se ofereceu para registrar para a posteridade. Além disso, o discípulo provavelmente queria honrar os dois maiores profetas de nossa história como povo de Deus, uma vez que a memória de nenhum deles foi homenageada com uma sepultura. Moisés foi levado ao pico de uma montanha, olhou para a terra prometida, mas não recebeu permissão para entrar. Foi enterrado em território estrangeiro, "mas até hoje ninguém sabe o lugar exato" (Dt 34.6). Elias não foi encontrado pela equipe de resgate que o procurou freneticamente por três dias, mas ficou a promessa de que ele voltaria, antes do fim de todas as coisas. E ali estava ele. Ali estavam ambos. Pedro queria erigir monumentos a fim de tentar encontrar algum sentido naquele mistério.

"Enquanto ele ainda falava, uma nuvem brilhante os cobriu, e uma voz que vinha da nuvem disse: 'Este é meu Filho amado, que me dá grande alegria. Ouçam-no!'" (Mt 17.5). As reações foram claramente humanas: "Os discípulos ficaram aterrorizados e caíram com o rosto em terra. Então Jesus veio e os tocou. 'Levantem-se', disse ele. 'Não tenham medo'" (Mt 17.6-7). A frase seguinte é a chave para o relato inteiro: "E, quando levantaram os olhos, viram apenas Jesus" (Mt 17.8). Creio que não foi por acidente que João, um desses discípulos, ao escrever sobre a glória de Cristo, fez alusão à Palavra que se fez carne e "habitou" entre nós, usando um vocabulário que sugere um tabernáculo (Jo 1.14). Deus estava dizendo para Simão Pedro: "Você não precisa fazer uma tenda para mim. Eu faço uma tenda para você, e aqui está ela". E Deus também estava dizendo: "Moisés e Elias não precisam de monumento algum. A lei e os profetas já testemunham sobre ele. É Jesus quem lhes dá sentido".

Elias não era o centro. Ele só desfrutava a glória refletida. Aliás, esse era o único tipo de glória que ele já havia conhecido ou chegaria a conhecer. Apesar dos maiores esforços de Elias, o mistério de sua vida não seria definido para ele no monte Horebe, mas em um monte diferente, na face do carpinteiro galileu.

Mais uma vez, isso remonta ao mistério de sua vida. Embora provavelmente seja raro você pensar em "glória" pelo nome, é ela que você vê como linha de chegada, o sinal de que tudo vai dar certo no fim. A "luz" lhe diz o que estava nas trevas e que você está seguro. O aplauso revela que você foi aprovado, que sua vida teve relevância. A glória é a linha de chegada que dá sentido ao meio de sua história.

Anos atrás, tive a experiência incrível de jantar com o autor de livros que haviam me ajudado em vários momentos difíceis de minha vida. Ele era um herói distante e, assim como Simão Pedro, meu deslumbramento me levou a balbuciar coisas sem sentido enquanto tentava expressar o quanto sua obra representava para mim, sem agir como um "fã" impressionado. Aquele senhor apenas sorriu e disse: "Não é o máximo como recebemos exatamente o que precisamos, no momento em que mais necessitamos? O livro certo cruza nosso caminho na hora certa. A conversa certa acontece no momento certo. Os amigos certos se aproximam bem no instante em que precisamos deles". Ele sorriu, ficou em silêncio por um minuto e completou: "Já percebeu isso em sua vida? É a graça, e nada mais". E o mais extraordinário é que ele disse essas palavras para mim bem na hora certa. Penso nelas com frequência nos anos que se passaram desde então, ao olhar para trás e relembrar pessoas, livros e conversas que não me pareceram significativas no momento, mas que mudaram tudo.

Frederick Buechner, outro autor que mudou muita coisa em mim, disse: "Por escrever romances, adquiri o hábito de procurar o enredo. Depois de um tempo, comecei a suspeitar que minha vida tem um enredo. E, depois disso, passei a suspeitar que a vida em si tem um enredo".[5] Ele sugere que isso não significa que nossa vida encontra sentido naquilo que é dramático e radical, nos momentos nítidos em que reconhecemos com clareza que nossa vida inteira será diferente a partir de então, mas, sim, naqueles instantes comuns, enfadonhos e até tediosos que moldam o enredo da graça em nossa vida. Ele explica: "Você se casa, tem filhos ou não, no meio da noite alguém bate à sua porta, ao voltar para casa passando pelo parque você vê um homem alimentando os pombos, todos os exames dão negativo e o médico lhe devolve a vida: um incidente sucede o outro de forma confusa e precipitada, parecendo não levar a lugar nenhum. Mas então, de vez em quando, há uma sugestão de propósito, sentido, direção — a sugestão de um enredo, a sugestão de que, por mais desajeitada que seja, sua vida está tentando lhe comunicar algo e levar você a algum lugar".[6]

Essa ideia de "escutar a própria vida", porém, não corresponde ao egocentrismo individualista que encontramos em boa parte da "espiritualidade" em nosso entorno (e em nós). Sempre é possível atrair uma multidão ensinando as pessoas a "correr atrás do destino", em geral no que se refere a dinheiro, saúde ou relacionamentos. É possível encontrar pessoas que fazem isso com o próprio emprego ou interesses amorosos, dizendo: "Eu nasci para isso". Contudo, não é assim que Jesus identifica e informa o sentido de nossa vida. Aliás, na maior parte das vezes, os detalhes do sentido de nossa vida nos são ocultos e permanecem um mistério. E é isso que queremos dizer ao afirmar que a vida tem um enredo, em lugar da facilmente identificável "moral da história". Um enredo não é uma série de fatos, mas uma interação entre inteligibilidade e mistério.

O romancista E. M. Forster explicou da seguinte maneira: "O rei morreu e depois a rainha morreu" é uma história; já "O rei morreu e depois a rainha morreu de luto" é um enredo. Ele se corrigiu sugerindo ainda que uma ideia mais próxima de enredo seria: "A rainha morreu, mas ninguém sabia por que, até que se descobriu que foi de luto pela morte do rei".[7] Essa interação entre inteligibilidade e mistério ressoa com nossa experiência do cosmo. Quanto mais entendemos sobre o universo — as leis da física, a existência dos buracos negros e assim por diante — mais reconhecemos o quanto sabemos pouco. O que é a misteriosa "matéria escura" que compõe a maior parte do universo, mas que nenhum de nós é capaz de definir? O mesmo se aplica a nossa vida.

Isso pode ser desconcertante para qualquer um de nós, ao caminharmos para as trevas do futuro. Elias estava angustiado em relação ao mistério de seu futuro enquanto caminhava pelo deserto. Só conseguia ver o sentido de tudo de forma plena ali na glória do Cristo transfigurado. Ele não estava sozinho. E aquilo que Elias aprendeu na experiência do exílio foi o que Pedro, Tiago e João aprenderiam também: o sentido da vida não está em monumentos ou memoriais, mas na semelhança com Cristo e somente nisso. O motivo para o monte da transfiguração ser tão importante na história de Elias é que nele vemos o que Deus estava fazendo naquele ponto culminante e crucial no deserto. Deus tirou Elias do centro da própria história. E é isso que ele fará para você e para mim também.

Isso se viu de forma parcelada na entrega da missão a Eliseu, no fato de que Deus falou de seus planos no longo prazo sem revelar o destino de Elias no curto prazo. Mas fica ainda mais claro no momento em que João Batista herdou o Espírito de Elias. O apóstolo João — um dos que testemunhou essa explosão de luz no monte — inicia o evangelho descrevendo Jesus como a luz que veio ao mundo. Então o apóstolo declara: "Deus enviou um homem chamado João para falar a respeito da luz, a fim de que, por meio de seu testemunho, todos cressem. *Ele não era a luz*, mas veio para falar da luz" (Jo 1.6-8, ênfase acrescentada). Além de relatar isso como narrador, João também registra o próprio Batista expressando essa ideia. Uma das primeiras perguntas que lhe fizeram foi: "Quem é você?". Sua resposta foi reveladora: "Eu não sou o Cristo" (Jo 1.19-20). Continuaram indagando: "Então quem é você? [...] É Elias?" (Jo 1.21). Mais uma vez, sua resposta foi negativa. "Afinal, quem é você? Precisamos de uma resposta para aqueles que nos enviaram. O que você tem a dizer de si mesmo?" (Jo 1.22). O mistério daquela vida precisava ser resolvido. Então João Batista "respondeu com as palavras do profeta Isaías: 'Eu sou uma voz que clama no deserto: Preparem o caminho para a vinda do Senhor!'" (Jo 1.23).

Mais cedo ou mais tarde, na busca por sentido, é importante lidar com o questionamento "Quem é você?". Em geral, o que queremos dizer com essa pergunta é algo do tipo: "Sem levar em conta as expectativas que outras pessoas têm a meu respeito, os papéis que desempenho e minha profissão, quem eu realmente sou lá no íntimo?". Não é uma pergunta ruim a se fazer, mas é uma *primeira* pergunta ruim a se fazer. Sozinha, ela não tem resposta. Precisamos aprender, em primeiro lugar, assim como João, a confessar quem nós *não* somos antes de poder dizer quem de fato *somos*. João estava aprendendo aquilo que Elias havia aprendido antes dele: "Ele deve se tornar cada vez maior, e eu, cada vez menor" (Jo 3.30). Era isso, não a alimentação que incluía insetos, nem a roupa de pele, que tornava João Batista mais parecido com Elias. Elias aprendeu essa verdade com clareza no deserto, onde abriu mão do próprio enredo para encontrá-lo em outro.

Elias começou falando de si mesmo como servo de Deus "perante quem eu me posiciono". Então se posicionou em silêncio na frente da caverna, esperando uma mensagem de Deus sobre sua vida e seu futuro. Ali, porém, o profeta viu fogo descer do céu, ouviu a voz de Deus — mas tudo dizia respeito a Jesus, não a ele próprio. A nuvem daquela glória obscureceu Elias e outros, de diversas maneiras. E, quando a nuvem de glória se foi, Jesus foi o último a permanecer.

O mesmo acontece com você. É por isso que a transfiguração está situada naquele ponto da história. O momento de glória — com celebridades convidadas e tudo o mais — acontece entre as duas meditações sobre a cruz. Jesus diz aos discípulos que alguns deles não morreriam até ver sua glória, afirmação feita no contexto de uma revelação bem mais séria: "Se alguém quer ser meu seguidor, negue a si mesmo, tome sua cruz e siga-me. Se tentar se apegar à sua vida, a perderá. Mas, se abrir mão de sua vida por minha causa, a encontrará" (Mt 16.24-25). A própria transfiguração deixa claro que a glória e a cruz andam juntas. Elias, junto com Moisés, apareceu com "um aspecto glorioso" ao lado de Jesus e "falavam sobre a partida de Cristo, que estava para se cumprir em Jerusalém" (Lc 9.31). Elias, no monte de seu tormento, estava preocupado em saber se morreria ou viveria. No entanto, ali, em glória no monte, ele se concentrou na cruz. Os discípulos sem dúvida queriam salvar a própria vida. Foi por isso que Pedro repreendeu Jesus por sugerir que seria preso e morto. Mas estavam se encaixando na história errada.

Ao descer da montanha, depois que Elias havia ido embora, os discípulos sentiram vontade de falar sobre o profeta. Quiseram saber por que "é necessário que Elias volte antes que o Cristo venha?" (Mt 17.10). Jesus respondeu: "De fato, Elias vem e restaurará tudo. Eu, porém, lhes digo: Elias já veio, mas não o reconheceram e preferiram maltratá-lo. Da mesma forma, também farão o Filho do Homem sofrer" (Mt 17.11-12). Os discípulos entenderam que ele estava falando de João Batista e devem ter estremecido. Eles sabiam como aquela história havia terminado.

Afinal, assim como Elias, João Batista também enfrentou seu Acabe e sua Jezabel — o rei Herodes e Herodias (os referentes da terceira pessoa do plural usada por Jesus, que se recusa a honrá-los exatamente com aquilo que o egocentrismo deles mais desejava: a lembrança do nome). João disse a Herodes aquilo que Elias informara Acabe: que ele deveria prestar contas a Deus e só porque queria algo (no caso de Acabe, a vinha de um camponês, e, no de Herodes, a esposa de seu irmão) não significava que podia tê-lo. E acabou executado. A "voz que clama no deserto" se tornou uma voz silenciada em uma bandeja de prata. A boca que proferiu "Vejam! É o Cordeiro de Deus, que tira o pecado do mundo!" (Jo 1.29) foi levada embora junto com o lixo.

No entanto, o aspecto mais assombroso dessa história não é seu caráter sanguinário ou violento, mas, sim, as palavras finais do relato. Os seguidores de João "vieram, levaram seu corpo e o sepultaram. Em seguida, foram a Jesus e lhe contaram o que havia acontecido" (Mt 14.12). Tais palavras encaixam o evento inteiro — não só o assassinato de João, mas toda sua vida — no enredo correto, o enredo de Jesus. Afinal de contas, havia dois reinos ali: um óbvio, com palácio e séquito, e outro escondido, movendo-se de maneira imperceptível, como o fermento que faz crescer a massa do pão. Um império cairia em desgraça, ao passo que o outro ascenderia em glória.

Mas isso aconteceria pelo caminho da cruz. Foi ali que Elias encontrou o sentido de sua vida e glória. E é ali também que você deve encontrar o seu.

O poeta Christian Wiman escreveu que o mundo se divide entre aqueles que acham que toda a realidade está unida e os que acham que há "uma rachadura que permeia a criação". O primeiro grupo parece se conformar com essa unidade, enquanto o segundo busca consertar o que se quebrou ou resistir ao terrível. Explica que ambos são verdadeiros, ou seja, a vida humana precisa incluir tanto deslumbramento quanto horror. "Creio que a reação correta à realidade é prostrar-se, e creio que a reação correta à realidade é gritar", escreveu. "A vida é trágica, e a fé é cômica."[8] Esse paradoxo está bem no cerne de qualquer leitura adequada do mundo. Conforme exprimiu celebremente o compositor Leonard Cohen: "Há uma rachadura em tudo; é assim que a luz entra".[9] A cruz dá sentido tanto à integridade assombrosa do universo quanto ao escândalo de seu esfacelamento. É nesse ponto que a glória de Deus — vista naquele breve momento no monte — converge com nossa história trágica. É exatamente na cruz que encontramos coragem, pois no Cristo crucificado encontramos nosso futuro, tanto no melhor quanto no pior cenário possível. A cabeça cortada pode ser a nossa. Mas não é o fim do mundo.

Para combater o medo, alguns aconselham "pensamento positivo", técnica na qual a pessoa imagina somente as coisas boas que podem acontecer, seguindo o pressuposto de que pensar dessa maneira pode levar tais coisas à existência. Outros — desde os estoicos antigos até os terapeutas cognitivo-comportamentais modernos — sugerem que o contrário é a melhor estratégia. Assim, ao enfrentar algo assustador, a pessoa deve se perguntar: "Qual é a pior coisa que poderia acontecer?". Mais libertador, porém, é estar do outro lado do pior cenário possível, ou seja, ver que ele aconteceu e você sobreviveu. É isso que lhe ocorreu se você segue a Jesus.

O pior que pode lhe acontecer não é ser torturado por Acabe, exilado por Jezabel ou decapitado por Herodes. Elias sobreviveu a tudo isso, e, no fim, João também. O pior que pode lhe acontecer não é aquilo que o preocupa agora — a possibilidade de seu cônjuge deixá-lo, de perder o emprego, de ter um filho viciado, de receber do médico a notícia de que você tem um tumor inoperável. O pior que pode lhe acontecer é o inferno, ser excluído da presença de Deus, condenado pela maldição da lei. Se você está em Cristo, então foi crucificado com ele (Gl 2.20). Isso significa que seu pior cenário possível já aconteceu e jamais pode se repetir.

Além disso, seu melhor cenário possível também está logo à sua frente. Se você está em Cristo, seu melhor cenário possível não é o emprego dos sonhos, o cônjuge dos sonhos, a família dos sonhos ou uma vida longa e saudável que se encerra enquanto você dorme tranquilo com um sorriso no rosto. Seu melhor cenário possível é exatamente o que os discípulos viram naquele monte: a glória — uma glória que nunca desvanece e continua para sempre. Isso também já aconteceu. Jesus ressuscitou dos mortos e está sentado à direita de Deus nos lugares celestiais (Ef 1.20-21). Se você está em Cristo, então o relacionamento entre vocês é uma unidade orgânica, como a cabeça está ligada ao corpo. Isso significa que a glória dele é a sua glória. O apóstolo Paulo escreveu: "Pois vocês morreram para esta vida, e agora sua verdadeira vida está escondida com Cristo em Deus. E quando Cristo, que é sua vida, for revelado ao mundo inteiro, vocês participarão de sua glória" (Cl 3.3-4). O enredo dele é o seu, e o dele está indo muito bem.

Se você é como eu, muitas vezes isso não basta. Posso saber, de todo o coração, que minha glória está em Cristo e meu futuro está seguro nele, mas não me sinto assim no momento. Há ocasiões, quando estou com medo ou em dúvida, em que sinto como se Deus estivesse, na melhor das hipóteses, distante, ou na pior delas, bravo comigo e me castigando com sua ausência. Com frequência, fico frustrado quando não consigo enxergar meu futuro com clareza suficiente para relaxar na providência de Deus. Se você é assim, saiba que não está sozinho. E não por viver em uma época distante do ministério terreno de Jesus. Os próprios discípulos, pouco antes e pouco depois de ver a glória transfigurada do próprio Cristo, enquanto andavam ao lado dele, também não conseguiam enxergar. Nesta era, vemos a glória pela fé, olhando para Jesus a despeito de como nos sentimos. Somente quando aceitamos que o mistério de Cristo é o fator definidor de nossa vida é que de fato encontramos sentido nela. E, quando encontramos sentido, somos capazes de suportar qualquer coisa.

Por que não conseguimos enxergar isso? Em parte porque não seríamos capazes de entender, caso víssemos qualquer coisa além de um vislumbre. O apóstolo Paulo escreveu: "Considero que nosso sofrimento de agora não é nada comparado com a glória que ele nos revelará mais tarde. Pois toda a criação aguarda com grande expectativa o dia em que os filhos de Deus serão revelados" (Rm 8.18-19). Assim como Jesus fizera anteriormente, Paulo usa a metáfora de um universo em dores de parto, ansiando para que sua glória seja vista e a nova criação nasça (Rm 8.22-23). Você é tão incapaz de entender a glória de seu futuro quanto um bebê dentro do útero conseguiria compreender porque o colapso de tudo que fora seu lar até então é, na verdade, uma boa notícia.

Imagine-se tentando dizer para si mesmo ao nascer como é sua vida agora, como é a vida deste lado do útero. As palavras soariam incompreensíveis, não seriam entendidas. É provável que pareceriam tão assustadoras quanto a sensação do ar gelado na pele e das luzes penetrando nos olhos. Tudo que você pode fazer é parar de explicar tais coisas para si mesmo e simplesmente estar lá. Você pode segurar o bebê nos braços e sussurrar em tom suave: "Vai ficar tudo bem. Chore e se contorça o quanto precisar, mas você é amado e desejado. Está tudo aqui esperando por você". Em um sentido bastante real, porém infinitamente maior, é exatamente isso que Deus faz por você agora mesmo. "Por isso, nunca desistimos. Ainda que nosso exterior esteja morrendo, nosso interior está sendo renovado a cada dia. Pois estas aflições pequenas e momentâneas que agora enfrentamos produzem para nós uma glória que pesa mais que todas as angústias e durará para sempre" (2Co 4.16-17). Isso está além de toda e qualquer comparação. Não temos palavras para descrever. Tudo que podemos fazer é esperar com paciência e deslumbramento, encontrando sentido no mistério de tudo ao ver onde a glória de Deus realmente está: na face de Jesus Cristo. E nós contemplamos essa face.

O momento da transfiguração foi uma revelação daquilo que permanece invisível no presente e de como um dia o cosmo inteiro será. Os discípulos devem ter se perguntado: "Quando aquela nuvem de glória voltará?". Mas Deus lhes diria: "Ele está bem aí na frente de vocês, lavando a barba no riacho!". Jesus não era o meio para a luz do outro mundo. A luz do outro mundo é que convergia em Jesus. Se você quer conhecer o resultado final de sua história de vida e saber como tudo acontecerá, é só olhar para aquilo que Deus revelou a João em Apocalipse, no universo transformado da Nova Jerusalém. "A cidade não precisa de sol nem de lua, pois a glória de Deus a ilumina, e o Cordeiro é sua lâmpada" (Ap 21.23). Por conhecer o nome de Jesus e viver do outro lado de seu reino no céu, enquanto aguardamos seu reino sobre todos os outros lugares, podemos dizer com confiança ainda maior que a de Davi no passado: "O SENHOR é minha luz e minha salvação; então, por que ter medo? O SENHOR é a fortaleza de minha vida; então, por que estremecer?" (Sl 27.1).

Há, porém, um mistério ainda maior do que nossa falta de compreensão das coisas invisíveis: o fato de que o enredo de nossa vida se unirá ao enredo de vida do próprio Jesus. Saímos do centro de nossa história. Andamos por onde ele andou, e ele andou rumo à glória ao carregar a cruz. É por isso que a luta de Elias para se posicionar com coragem é importante para você. Não tanto que ele seja um modelo para você seguir, mas que ele passou por onde você também precisa trilhar.

Quando Elias ficou de pé no monte, convencido de que somente a morte o aguardava, conseguiu ouvir apenas um som inaudível, uma vibração do mais profundo silêncio. E a voz naquele lugar parecia dizer algo mais do que "O que você faz aqui, Elias?", porém ele não sabia exatamente o quê. Elias ouviu pela fé, no deserto, a mesma voz que você e eu também escutamos com sotaque galileu dizendo: "Venha e siga-me". Ao descer o monte, os discípulos de Jesus ficaram impressionados por terem visto Elias e tentaram encaixar sua aparição na ordem futura do reino. Jesus tirou tudo aquilo de vista e os levou novamente a sua caminhada rumo à cruz. Ele parecia estar dizendo: "Não somos nós que aguardamos Elias. É ele quem espera por nós".

Conclusão

Sua vida tem significado. Sua vida é um grande mistério. E ambos se unem em Cristo. Jesus é o enredo, e a história é boa. Você pode enfrentar o futuro com coragem porque o futuro tem nome, rosto e tipo sanguíneo. Você pode aceitar o Mistério, pois o Mistério está vivo e tem planos para você. Não é preciso espiar seu obituário, pois você já o viu. Está acima de sua cabeça em uma placa que diz "Rei dos judeus" e abaixo de seus pés, em um manto púrpura disputado pelos soldados. Essa observação continua por meio do túmulo vazio e em esferas que você não poderia imaginar neste momento.

Há detalhes de sua história que você não entende agora? Sem dúvida. Seria algo tão drasticamente diferente do agora que faria qualquer diferença para o futuro? Não. "E estou convencido de que nem morte nem vida, nem anjos nem demônios, nem o que existe hoje nem o que virá no futuro, nem poderes, nem altura nem profundidade, nada, em toda a criação, jamais poderá nos separar do amor de Deus revelado em Cristo Jesus, nosso Senhor" (Rm 8.38-39). Não sei se seu obituário terminará com um endereço para recebimento de flores ou com uma instituição de caridade para a qual encaminhar doações em seu nome. Mas sei que seu verdadeiro obituário — a suma final de sua vida — não termina com nenhuma dessas coisas. Seu verdadeiro obituário termina com a palavra: "Continua...". Não é que sua vida "dá certo no fim". Em vez disso, no fim do que você imagina ser sua vida é que ela está apenas começando.

Enquanto terminava de escrever este livro, depois que todos em minha casa haviam ido dormir, parei no corredor e olhei para a luz noturna. Ajoelhei-me para admirar a riqueza de detalhes, as portas entalhadas em madeira que abrem e fecham. Observei como a luz estruturava todo o resto e como ela chegava até mim do outro lado, assim como aconteceu quando eu era um adolescente com pensamentos suicidas, perguntando-me se o universo era um constante inverno sem jamais chegar o Natal e se havia uma mágica mais profunda do que eu conseguia sentir ao meu redor. E notei a silhueta de Lúcia, tão jovem e assustada quanto eu, ali de pé, olhando para o que ainda não conseguia entender. Está com medo, mas de pé. Assim como eu. Assim como você também tem a possibilidade de fazer.

Os lampiões que nos ajudaram até aqui só conseguem apontar para a frente, para um Lampião ainda maior. Ao me ajoelhar no chão, veio-me à lembrança um texto bíblico que eu proferia toda semana na igreja em que pregava, como bênção: "No princípio, aquele que é a Palavra já existia. A Palavra estava com Deus, e a Palavra era Deus. Ele existia no princípio com Deus. Por meio dele Deus criou todas as coisas, e sem ele nada foi criado. Aquele que é a Palavra possuía a vida, e sua vida trouxe luz a todos. A luz brilha na escuridão, e a escuridão nunca conseguiu apagá-la. [...] Assim, a Palavra se tornou ser humano, carne e osso, e habitou entre nós. Ele era cheio de graça e verdade. E vimos sua glória, a glória do Filho único do Pai" (Jo 1.1-5,14). Eu lia essa passagem toda semana porque creio que ela resume toda a Bíblia. Mas, além disso, eu a lia porque precisava ouvir essas palavras alto e bom som, semana após semana. Minha vida dependia delas. E continua a depender.

Pensei por um instante na Luz que me conduziu até aqui e que me levará para o lar. Ponderei no que minha versão de quinze anos pensaria acerca de minha vida atual. O que eu diria para ele ou para alguém como ele, caso o encontrasse. Então indaguei o que meu eu futuro diria para mim agora, sobre o que me abala, me desconcerta e me enche de covardia mesmo enquanto escrevo sobre coragem. E isso me fez pensar que eu quase ouvi uma voz em algum lugar no meio do maior silêncio, dizendo algo do tipo: "O que você faz aqui?". Ou quem sabe tenha sido o rugido de um leão. De todo modo, apenas olhei para a luz do lampião por mais um segundo, reconhecendo que não sei muito sobre o amanhã, mas sei tudo que é preciso sobre o dia depois de amanhã.

E então me ergui.

Não tema!

Agradecimentos

Este livro jamais teria sido possível sem o amor e o apoio de Maria, minha esposa há 26 anos, e de nossos cinco filhos: Ben, Timothy, Samuel, Jonah e Taylor. Também sou grato por minha equipe da Comissão de Ética e Liberdade Religiosa, da Convenção Batista do Sul, em especial Joshua Wester, Alex Ward, Daniel Patterson, Phillip Bethancourt (hoje pastor da Central Baptist Church em College Station, Texas), Brent Leatherwood, Travis Wussow e Elizabeth Graham. Como sempre, também sou muito grato ao editor Devin Maddox, da B&H, a meu agente literário Andrew Wolgemuth, e à sábia e habilidosa Jennifer Lyell. Além disso, conforme mencionei anteriormente, não fossem amigos como David Prince, Andrew Peterson, Ben Shive, Ray Ortlund, Scott Patty e outros, eu jamais teria escrito mais uma palavra. Porque Deus me deu tais pessoas para amar e respeitar, fui capaz de reunir coragem para me posicionar.

Notas

....

Capítulo 1

[1]Laura Miller, *The Magician's Book: A Skeptic's Adventure in Narnia* (New York: Back Bay, 2009), p. 23.

[2]Walker Percy, *Lost in the Cosmos: The Last Self-Help Book* (New York: Macmillan, 1983), p. 229.

[3]James Baldwin, *The Fire Next Time* (New York: Delta, 1964), p. 30.

[4]Idem, p. 52-53.

[5]Fyodor Dostoevsky, *The Brothers Karamazov*, trads. Richard Pevear e Larissa Volokhonsky (New York: Farrar, Straus, and Giroux, 2002), p. 362-363. [No Brasil, *Os irmãos Karamázov*, trad. Paulo Bezerra. São Paulo: Editora 34, 2012.]

[6]N. T. Wright, *Paul: A Biography* (New York: HarperOne, 2018), p. 64. [No Brasil, *Paulo: uma biografia.* Rio de Janeiro: Thomas Nelson Brasil, 2018.]

[7]Mark Twain, "The Plutocracy", em *Mark Twain in Eruption: Hitherto Unpublished Pages About Men and Events by Mark Twain,* ed. Bernard DeVoto (New York: Harper & Brothers, 1922), p. 69.

[8]Idem, p. 70.

[9]C. S. Lewis, *The Voyage of the Dawn Treader* (New York: HarperCollins, 1952), p. 247. [No Brasil, *A viagem do peregrino da alvorada*. São Paulo: Martins Fontes, 2003.]

Capítulo 2

[1]Art Spiegelman, "In the Dumps", *New Yorker*, 27 de setembro de 1993, p. 80-81.

[2]David Quammen, *Monster of God: The Man-Eating Predator in the Jungles of History and the Mind* (New York: W.W. Norton, 2004). [No Brasil, *Monstros de Deus: Feras predadoras, história, ciência e mito.* São Paulo: Companhia das Letras, 2007.]

[3]David Whyte, *Consolations: The Solace, Nourishment, and Underlying Meaning of Everyday Words* (Langley, WA: Many Rivers Press, 2016), p. 42-43.

[4]Josef Pieper, *The Four Cardinal Virtues: Prudence, Justice, Fortitude, Temperance* (South Bend, IN: University of Notre Dame Press, 1966), p. 117.

[5]Herman Bavinck, *Reformed Ethics*, vol. 1, ed. John Bolt (Grand Rapids, MI: Baker, 2019), p. 247.

[6]Walker Percy, *The Moviegoer* (New York: Farrar, Straus & Giroux, 1960, 2019), p. 100.

[7]Eugene Peterson, *When Kingfishers Catch Fire: A Conversation on the Ways of God Formed by the Words of God* (Colorado Springs: WaterBrook, 2017), p. 247-248.

[8]J. R. R. Tolkien, *The Fellowship of the Ring* (Boston: Houghton Mifflin Harcourt, 1954), p. 83. [No Brasil, *A sociedade do anel*. Rio de Janeiro: HarperCollins, 2019.]

[9]Flannery O'Connor, *Mystery and Manners: Occasional Prose*, eds. Sally e Robert Fitzgerald (New York: Farrar, Straus & Giroux, 1969), p. 118.

Capítulo 3

[1]Seth Stephens-Davidowitz, *Everybody Lies: Big Data, New Data, and What the Internet Can Tell Us About Who We Really Are* (New York: HarperCollins, 2017). [No Brasil, *Todo mundo mente: Big data, novos dados e o que a internet nos diz sobre quem realmente somos*. Rio de Janeiro: Alta Books, 2018.]

[2]Blaise Pascal, *Pensées*, trad. A. J. Kraislheimer (New York: Penguin, 1995), p. 37-43. [No Brasil, *Pensamentos*, trad. Mario Laranjeira. São Paulo: Martins Fontes, 2005.]

[3]David Brooks, *The Road to Character* (New York: Random House, 2015). [No Brasil, *A estrada para o caráter.* Rio de Janeiro: Alta Life, 2019.].

[4]Ziyad Marar, *The Happiness Paradox* (London: Reaktion, 2003), p. 32-33.

[5]Ziyad Marar *Judged: The Value of Being Misunderstood* (London: Bloomsbury, 2018).

[6]Seth Godin, *The Icarus Deception: How High Will You Fly?* (New York: Penguin, 2012), p. 124. [No Brasil, *A ilusão de Ícaro: Exemplos na vida e do trabalho de pessoas que ousaram voar mais alto*. Rio de Janeiro: Campus, 2013.]

[7]Seth Godin, *Linchpin: Are You Indispensable?* (New York: Penguin, 2010), p. 94. [No Brasil, *Você é indispensável?* Rio de Janeiro: Agir, 2010.]

[8]Søren Kierkegaard, *Provocations: Spiritual Writings of Kierkegaard*, ed. Charles E. Moore (Walden, NY: Plough, 2002), p. 236.

Capítulo 4

[1]Oliver Sacks, *Everything in Its Place: First Loves and Last Tales* (New York: Knopf, 2019), p. 140-143. [No Brasil, *Tudo em seu lugar: Primeiros amores e últimas histórias*. São Paulo: Companhia das Letras, 2020.]

[2]Ellen F. Davis, *Opening Israel's Scriptures* (New York: Oxford University Press, 2019), p. 209.

[3]Idem, p. 214.

[4]Abraham Joshua Heschel, *I Asked for Wonder: A Spiritual Anthology*, ed. Samuel H. Dresner (New York: Crossroad, 1983), p. 104.

[5]Stanley Milgram, *Obedience to Authority: An Experimental View* (New York: HarperCollins, 1974), p. 228.

[6]Eitan Hersh, *Politics Is for Power: How to Move Beyond Political Hobbyism, Take Action, and Make Real Change* (New York: Scribner, 2020), p. 181.

[7]Alan Moore e Dave Gibbons, *Watchmen* (New York: DC Comics, 1986–1987). [No Brasil, *Watchmen: Edição definitiva*. Tamboré, SP: Panini, 2019.]

[8]Jason Lanier, *Ten Arguments for Deleting Your Social Media Accounts Right Now* (New York: Henry Holt & Co., 2018), p. 47-51. [No Brasil, *Dez argumentos para você deletar agora suas redes sociais*. Rio de Janeiro: Intrínseca, 2018.]

[9]Marilynne Robinson, *What Are We Doing Here?: Essays* (New York: Farrar, Straus and Giroux, 2018), p. 20.

[10]Eudora Welty, "Must the Novelist Crusade?", em Eudora Welty, *On Writing* (New York: Modern Library, 2002), p. 82.

[11]Idem, p. 100.

[12]Samuel L. Perry, *Addicted to Lust: Pornography in the Lives of Conservative Protestants* (New York: Oxford University Press, 2019).

[13]Eugene Peterson, *As Kingfishers Catch Fire: A Conversation on the Ways of God Formed by the Words of God* (Colorado Springs: Waterbrook, 2017).

[14]Vaclav Havel, "New Year's Address", em *Open Letters: Selected Prose, 1965—1990*, ed. Paul Wilson (London: Faber & Faber, 1991), p. 391.

[15]Cass R. Sunstein, *Conformity: The Power of Social Influences*. New York: New York University Press, 2019, p. x.

[16]Idem.

[17]Peter L. Berger, *The Noise of Solemn Assemblies: Christian Commitment and the Religious Establishment in America* (Garden City, NY: Doubleday, 1961), p. 85.

[18]Idem, p. 123.

[19]Margaret J. Wheatley, *Who Do We Choose to Be? Facing Reality, Claiming Leadership, Restoring Sanity* (Oakland: Berrett- Koehler, 2017), p. 280.

[20]William Bridges, *Transitions: Making Sense of Life's Changes*, 2ª ed. (New York: Perseus, 2004), p. 153-154.

[21]Shirley Braverman e Joel Paris, "The Male Midlife Crisis in the Grown-up Resilient Child", *Psychotherapy* 30.4 (inverno de 1993), p. 651-657.

Capítulo 5

[1]Peter de Vries, *The Blood of the Lamb* (Chicago: University of Chicago Press, 1961, 2005), p. 96.

[2]Max Oelschlaeger, *The Idea of Wilderness: From Prehistory to the Age of Ecology* (New Haven: Yale University Press, 1993), p. 42-43.

[3]Jonathan Sacks, *Radical Then, Radical Now: On Being Jewish* (London: Bloomsbury, 2000), p. 84.

[4]Robert Nisbet, *The Quest for Community: A Study in the Ethics of Order and Freedom* (San Francisco: Institute for Contemporary Studies, 1953, 1990), p. xxvi.

[5]Peter L. Berger, *The Noise of Solemn Assemblies: Christian Commitment and the Religious Establishment in America* (Garden City, NY: Doubleday, 1961), p. 131.

[6]David Foster Wallace, *This Is Water: Some Thoughts, Delivered on a Significant Occasion, about Living a Compassionate Life* (New York: Little, Brown and Company, 2009), p. 109.

[7]Dietrich Bonhoeffer, *Ethics* (New York: Simon & Schuster, 1995), p. 76-79. [No Brasil, *Ética*. São Leopoldo, RS: Sinodal, 2011).

Capítulo 6

[1]Bill Bishop, *The Big Sort: Why the Clustering of Like-Minded America Is Tearing Us Apart* (New York: Mariner, 2009).

[2]Robert M. Sapolsky, *Behave: The Biology of Humans at Our Best and Worst* (New York: Penguin, 2017), p. 472-473.

[3]Seth Godin, *We Are All Weird: The Rise of Tribes and the End of Normal* (New York: Penguin, 2011), p. 56.

[4]C. S. Lewis, *The Weight of Glory and Other Addresses* (New York: HarperOne, 1949, 2001), p. 159. [No Brasil, *O peso da glória: Edição especial*. Rio de Janeiro, Thomas Nelson Brasil, 2017.]

[5]Wendell Berry, *The Unsettling of America: Culture and Agriculture* (San Francisco: Sierra Club Books, 1997), p. 174.

[6]Will Herberg, *Protestant, Catholic, Jew: An Essay in Religious Sociology* (Chicago: University of Chicago Press, 1955), p. 260-261.

[7]Eun Lee, Fariba Karimi, Claudia Wagner, et al., "Homophily and Minority-Group Size Explain Perception Biases in Social Networks", *Nature Human Behavior* 3, 2019, p. 1078-1087.

[8]Peter L. Steinke, *Uproar: Calm Leadership in Anxious Times* (Lanham, MD: Rowman & Littlefield, 2019), p. 72.

[9]Tom T. Hall, *The Storyteller's Nashville* (Spring House Press, ed. rev. e amp., 2016), p. 146.

Capítulo 7

[1]Ian Johnson, *The Souls of China: The Return of Religion After Mao* (New York: Vintage, 2017), p. 27.

[2]Henri Nouwen, *In the Name of Jesus: Reflections on Christian Leadership* (New York: Crossroad, 1992), p. 28-30.

[3]Fyodor Dostoevsky, *The Brothers Karamazov*, trads. Richard Pevear e Larissa Volokhonsky (New York: Farrar, Straus, and Giroux, 2002), p. 320-321.

Capítulo 8

[1]C. S. Lewis, *The Weight of Glory and Other Addresses* (New York: HarperOne, 1949, 2001), p. 36. [No Brasil, *O peso da glória: Edição especial.* Rio de Janeiro: Thomas Nelson Brasil, 2017.]

[2]Reynolds Price, *A Palpable God: Thirty Stories Translated from the Bible with an Essay on the Origins and Life of Narrative* (New York: Atheneum, 1978), p. 14.

[3]Alasdair MacIntyre, *After Virtue: A Study in Moral Theory* (Notre Dame, IN: University of Notre Dame Press, 2007), p. 216. [No Brasil, *Depois da virtude: Um estudo sobre teoria moral*. Campinas, SP: Vide Editorial, 2021.]

[4]Idem, p. 217.

[5]Frederick Buechner, *The Alphabet of Grace* (New York: HarperCollins, 1970, 1985), p. 51.

[6]Idem, p. 10.

[7]E. M. Forster, *Aspects of the Novel* (New York: Harcourt, Brace & World, 1954), p. 86-94.

[8]Christian Wiman, "The Cancer Chair", *Harper's Magazine*, fevereiro de 2020, p. 56-57.

[9]Leonard Cohen, "Anthem", faixa 5 do álbum *The Future*, Columbia, 1992.

Compartilhe suas impressões de leitura,
mencionando o título da obra, pelo e-mail
opiniao-do-leitor@mundocristao.com.br
ou por nossas redes sociais

Esta obra foi composta com tipografia Palatino
e impressa em papel Pólen Soft 70 g/m² na gráfica Imprensa da Fé